edition suhrkamp 2087

Das Ziel des Stammtischs, an dem sich Tag für Tag die scheinbar unterschiedlichsten Leute zusammenfinden, ist – der Konsens. Und der Konsens der »Totaldemokraten« ist es, zu »glauben, daß man zu allem ja oder nein sagen könne, auch zu Unhumanem, auch zu Unliberalem, auch zu Unsozialem«.

Die Totaldemokraten, denen die alten Ideen heilig und alle neuen Ideen erst einmal verdächtig sind, gibt es überall – nicht nur in der Schweiz.

Aber da Peter Bichsel ein Schweizer ist, macht er sich Gedanken – zu seinem Land und auch zu jener Literatur, die »Schweizer Literatur« genannt wird. In seinen Kolumnen, Reden und Aufsätzen wird ihm immer wieder überdeutlich klar: daß auch er ein Schweizer ist. Einer, der sich einmischt, einer, der nicht unbequem sein will, aber unbequem ist, einer, der, indem er Fragen stellt, auch sich in Frage stellt: kein Totaldemokrat also.

Peter Bichsel, geboren 1935 in Luzern, lebt in Solothurn. Sein Werk erscheint im Suhrkamp Verlag.

Peter Bichsel
Die Totaldemokraten

Aufsätze über die Schweiz

Suhrkamp

edition suhrkamp 2087
Erste Auflage 1998
© Suhrkamp Verlag Frankfurt am Main 1998
Erstausgabe
Alle Rechte vorbehalten, insbesondere das
der Übersetzung, des öffentlichen Vortrags
sowie der Übertragung durch Rundfunk und Fernsehen,
auch einzelner Teile.
Satz: Jung Satzcentrum, Lahnau
Druck: Nomos Verlagsgesellschaft, Baden-Baden
Umschlag gestaltet nach einem Konzept
von Willy Fleckhaus: Rolf Staudt
Printed in Germany

2 3 4 5 6 – 03 02 01 00 99 98

Inhalt

Die Totaldemokraten

Das war die Schweiz

Wir wohnten zwar zu Hause, aber immer wenn wir irgendwo hingingen, gingen wir in die Schweiz. Alle Briefe, die wir bekamen, kamen aus der Schweiz, alle Briefe, die wir schickten, gingen in die Schweiz. Wir gingen in die Schweizer Schule, aßen Schweizer Schokolade, tranken Schweizer Milch, und der Vater war Mitglied des Schweizer Alpenclubs. Alle Leute, die wir besuchten, waren Schweizer. Alle Leute, die uns besuchten, waren Schweizer. Unser Lehrer war Schweizer, unser Nachbar war Schweizer, unser Briefträger, unser Polizist waren Schweizer, und der Lehrer sagte mit Recht: wir Schweizer.

Wir Schweizer picknickten Sonntag für Sonntag auf dem Matterhorn. So lernten wir Schweizer die Schweizer kennen, und die Schweizer uns Schweizer. Sie sprachen mit uns, wir sprachen mit ihnen. Orangina kam aus der Schweiz, und die Ovomaltine war ein Schweizer Produkt, und die Häute der Würste warfen wir nicht auf das Matterhorn, und die Büchsen ließen wir nicht liegen, weil wir keine Deutschen waren.

Schweizer waren keine Deutsche. Schweizer waren keine Österreicher. Alle wollten Schweizer sein. Niemand wollte Österreicher sein. Die Schweizer wollten das sein, was sie waren, sie waren Schweizer. Die Schweizer waren Schweizer. Den Österreichern merkte man an, daß sie Österreicher waren. Den Deutschen merkte man an, daß sie Deutsche waren. Den Schweizern merkte man an, daß sie keine Österreicher waren. Der Schweizer Kaffee war besser als der österreichische Kaffee. Schweizer konnten gut kochen. Deutschen Wein konnte man nicht trinken, und wenn ein Schweizer nach Italien ging, ging nicht irgendwer nach Italien.

Die Schweizer waren friedliche Schweizer. Die Schweizer waren fleißige Schweizer. Die Schweizer waren sparsame Schweizer. Die Schweizer waren anständige Schweizer. Die Schweizer waren behäbige Schweizer. Die Schweizer waren gutmütige Schweizer. Die Schweizer waren freundliche Schweizer. Ich war ein Schweizer. Alle Schweizer waren Schweizer. Was waren die Deutschen? Was waren die Österreicher?

Und eine Kuh war eine Kuh, wenn es eine Schweizer Kuh war. Und ein Berg war ein Berg, wenn es ein Schweizer Berg war. Und ein Käse war ein Käse, wenn es ein Schweizer Käse war. Die Deutschen hatten keine Schweizer Kuh, keine Schweizer Armee, keine Schweizer Bank. Auch die Deutschen aßen Schweizer Käse, trugen Schweizer Uhren, liebten Schweizer Banken. Ein Schweizer mit einer österreichischen Kuh war kein Schweizer. Ein Schweizer mit einer deutschen Uhr war kein Schweizer. Das Matterhorn erreichte man mit Schweizer Schuhwerk. Der Schweizer Soldat trug den besten Schuh der Welt. Gerechtigkeit war Gerechtigkeit, wenn es Schweizer Gerechtigkeit war. Die Deutschen hatten keine Schweizer Gerechtigkeit. Die Schweizer wollten keine österreichische Gerechtigkeit. Eine Uhr war eine Uhr, wenn sie eine Schweizer Uhr war. Eine Bank war eine Bank, wenn sie eine Schweizer Bank war. Eine Armee war eine Armee, wenn sie eine Schweizer Armee war, und wenn wir von der Schweiz träumten, träumten wir davon, daß unsere Militärmesser Rostflecken hätten und daß wir dafür ins Gefängnis müßten.

Die in jüngster Zeit von Wehrmännern verschiedener Truppenteile eingereichten »Petitionen« gegen den Wachdienst mit Kampfmunition sind nach Auskunft des Eidgenössischen Militärdepartementes (EMD) klare Verstöße gegen das Dienstreglement und können deshalb nicht entgegengenommen werden. In den vorliegenden Fällen gebe es zudem Anzeichen für eine »gesteuerte Aktion«, hält das EMD in einer jüngst veröffentlichten Stellungnahme fest. Der vom Bundesrat verfügte Wachdienst mit Kampfmunition bedeute eine »Verwesentlichung« und Aufwertung dieser »wichtigen militärischen Aufgabe«, wobei Unfällen mit geeigneten Maßnahmen vorgebeugt werde. Nach Ziffer 276 des Anfang 1980 in Kraft getretenen neuen Dienstreglements (DR 80) wird der Wachdienst grundsätzlich mit Kampfmunition geleistet. Ausnahmen können vom EMD, vom Generalstabschef, vom Ausbildungschef, von den Kommandanten der Armeekorps und vom Kommandanten der Flieger- und Flabtruppen befohlen werden. Vorab mit dem Hinweis auf die Gefährdung der Zivilbevölkerung durch ungeübte und übermüdete Wachtmannschaften haben in letzter Zeit Wehrmänner in Petitionen an das EMD die Abschaffung des Wachtdienstes mit Kampfmunition gefordert. »Es wäre unverantwortlich, Wehrmänner möglichen terroristischen Überfällen schutzlos auszuliefern«, betonte dazu das EMD.

Franz hatte sich aufgehängt. Wer sich aufgehängt hatte, hatte sein Schweizersein verwirkt. Franz wollte nicht mehr in die Schweizer Armee. Wer nicht in die Schweizer Armee wollte, war nicht mehr ein Schweizer. Daß einer nicht in die österreichische Armee wollte, dafür hatten die Schweizer Verständnis. Die österreichische Armee war eine sehr schlechte Armee. Die Schweizer Armee war eine sehr gute Armee. Die Schweizer Armee brauchte man nicht. Deshalb brauchte keiner, der dagegen war, daß man sie braucht, nicht hinzugehen. Die freie Schweiz war das einzige Land, das ein freies Militärgericht hatte. Franz wollte nicht vor das freie Militärgericht. Franz wollte kein Schweizer mehr sein. Aber so etwas tat man nicht. Das gab es in der Schweiz nicht. Man konnte froh sein, daß man Schweizer sein durfte. Franz war nicht mehr froh.

Die Verfassung war weniger wichtig als ein Gesetz, ein Gesetz war weniger wichtig als ein Reglement, gegen ein Reglement konnte man nichts machen. Gegen das Dienstreglement konnte man nichts machen, weil das ein klarer Verstoß gegen das Dienstreglement gewesen wäre. Aber wir Schweizer mußten immer abstimmen. Nicht alle Schweizer stimmten ab. Alle Schweizer fanden das eine Schweinerei.

Nur die Schweiz hatte sieben Bundesräte. Nur die Schweiz hatte viele Schweizer Seen. Nur die Schweiz hatte Schweizer Qualität. Nur die Schweiz hatte Schweizer Brauchtum. Nur die Schweiz hatte Schweizer Kantone. Nur in der Schweiz entsprangen die Ströme Europas. Nur aus der Schweiz kam die saubere Schweizer Elektrizität. Nur aus der Schweiz kam das Schweizer Wasser. Nur aus der Schweiz kam die Schweizer Freiheit. Nur das Schweizer Herz war das Herz Europas. Eine Europäische Gemeinschaft war noch lange keine Schweiz. Und die UNO wurde nie eine Schweiz.

Schweizer konnten Einstein werden. Schweizer konnten Gottfried Keller werden. Schweizer konnten Jeremias Gotthelf werden. Schweizer konnten Pestalozzi werden. Schweizer wurden Schiller. Goethe besuchte die Schweiz. Edison war sicher ein Schweizer. Jehudi Menuhin war ein Schweizer. Warum sollte Albert Schweitzer kein Schweizer gewesen sein? Hermann Hesse war ein Schweizer. Thomas Mann war ein Schweizer. Gunter Sachs war ein Schweizer. Die Schweizer Bundesräte liebten den amerikanischen Präsidenten mehr als uns, und alle Brücken in Amerika wurden von Schweizern gebaut.

Onkel Albert sagte: »Das gab es halt nur in der Schweiz, daß alle Schweizer am Sonntag auf dem Matterhorn saßen und picknickten.« Onkel Albert konnte jeden vierten Sonntag nicht mitkommen, weil er bei der Schweizer Feuerwehr war und jeden vierten Sonntag Dienst hatte. Die ganze Schweiz fragte dann: »Wo war Onkel Albert?«, und wir sagten es ihnen. »Nur in der Schweiz gab es so schöne Feuer«, sagte Onkel Albert, »und nur in der Schweiz wurden sie so schön gelöscht.« Nur mit der Schweizer Feuerwehr konnte man Schweizerdeutsch reden, alle anderen Völker sprachen mit der Feuerwehr Fremdsprachen. Onkel Albert sagte: »Wenn man so richtig aufgeregt war, dann war es sogar schwer, Schweizerdeutsch zu reden.« Das war ein wichtiger Vorteil der Schweiz, daß man hier so reden konnte, wie man reden konnte, das hatte seine Gründe, daß die Schweizer Feuerwehr die schnellste war. »Man sah das sogar den blitzblanken Feuerwehrautos an«, sagte Onkel Albert. Schon Wilhelm Tell hatte einem Buben das Leben gerettet. Nur die Schweizer Rettungsflugwacht war so richtig eine Rettungsflugwacht. Onkel Albert hatte stets die Quittung für die Rettungsflugwacht in seinem Portemonnaie. Auf dem Matterhorn zeigten sich die Schweizer gegenseitig ihre Quittungen. Alle Schweizer waren Mitglieder. Das war eine Privatinitiative. Onkel Albert war gern bei der Feuerwehr. Er trank sein Bier in der »Freiheit«, wo der Stammtisch der Feuerwehr stand. So etwas gab es halt nur in der Schweiz. Onkel Albert war gern ein Schweizer. Onkel Albert konnte sich nicht vorstellen, etwas anderes gewesen zu sein. Wenn er etwas anderes hätte gewesen sein müssen, dann hätte ihm dies das Leben gründlich verleiden gemacht.

Das Geld in der Schweiz hieß Schweizer Geld. Die Arbeit in der Schweiz hieß Schweizer Arbeit. Die Sauberkeit in der Schweiz hieß Schweizer Sauberkeit. Ein Soldat in der Schweiz hieß Schweizer Soldat. Ein Oberst in der Schweiz hieß Schweizer Oberst. Der Wein in der Schweiz hieß Schweizer Wein. In Deutschland gab es keinen Deutschland Wein. In Frankreich gab es keinen Frankreich Wein. Der Wein in Frankreich hieß nur französischer Wein. Unser Wein hieß nicht schweizerischer Wein. Das war etwas anderes, das war ein Unterschied, da kam man gern zurück, da war es gut zu leben.

Weil die Schweiz bereits die Schweiz war, mußte man sie nicht mehr machen. Weil die Schweiz bereits beliebt war, war sie bereits beliebt. Weil die Reichen die Schweiz liebten, war die Schweiz reich. Weil die Armen reich werden wollten, liebten sie die Schweiz. Das Bild der Schweiz war ein Vorbild. Der Teil der Schweiz war ein Vorteil. Es war ein Vorteil, daß sie reich war, und die Schweiz war ein Binnenland, und die Schweizer Seen waren Binnenseen. Niemand hätte sich vorstellen können, daß die Schweiz kein Binnenland gewesen wäre. Österreich war zwar auch ein Binnenland, aber nicht so richtig. Das war einem Österreicher schwer zu erklären.

Die Arbeiter in der Schweiz bezahlten Steuern. Die Reichen in der Schweiz bezahlten auch Steuern. Aber die Reichen bezahlten sie freiwillig. Deshalb hatte man sie gern.

Wir hatten die Schweiz den anderen erklärt. Wir hatten die Schweiz den anderen immer wieder erklärt. Das war sehr schwer, den anderen die Schweiz zu erklären. Wir gaben uns sehr Mühe. Niemand durfte behaupten, wir hätten uns zu wenig Mühe gegeben. Wir verteidigten uns immer wieder. Es war unser Recht, uns zu verteidigen. Es war nicht unsere Schuld, daß uns niemand mehr zuhörte. Wir hatten unsere Schweiz nicht selbst kaputtgemacht. Die Welt war selber schuld daran, daß sie keine Schweiz mehr hatte.

Wir waren bis auf die Zähne bewaffnet. Wir waren

bis auf die Knochen uniformiert. Wir waren das Vorbild der Armeen der Welt. Wir rechneten nicht damit, unterzugehen. Wir hätten uns gut verteidigen können, und wir verteidigten, verteidigten. Wir verteidigten nichts anderes als die Schweiz.

Dabei hätte das alles sehr schön sein können. Der Oberleutnant hätte den Rekruten nicht anbrüllen müssen. Der Schweizer hätte vor dem Schweizer keine Achtungstellung machen müssen. Der Reiche hätte die Armen der Welt nicht ausbeuten müssen. Die demokratische Regierung hätte keine Geheimnisse vor Demokraten haben müssen. Das war nämlich damals eine schöne Landschaft, und das waren damals nette Leute, und man hätte dort leben können. Der Wein war wirklich gut. Das Essen war wirklich vortrefflich. Die Freunde waren gute Freunde. Wir hätten ein kleines Land sein können.

Ein Land, in dem das Geld einfach Geld geheißen hätte und nicht Schweizer Geld. Ein Land, in dem die Freundlichkeit einfach Freundlichkeit geheißen hätte und nicht Schweizer Freundlichkeit. Ein kleines Land, auf das niemand hätte stolz sein müssen. Das einfach dagewesen wäre für uns.

Wir lebten gern hier, wir hatten es gut. Wir mußten unsere Autos nicht abschließen. Uns wurde nichts gestohlen. Keinem wurde etwas geschenkt. Alle hatten alles. Niemand wurde umgebracht. Niemand brachte sich um. Allen gefiel es, niemandem gefiel es nicht. Das Marihuana kam nicht aus der Schweiz. Wir hatten es Gott sei Dank nicht nötig. Wir benötigten nichts. Wir hatten alles selbst. Wir bestimmten alle selbst darüber.

Wir bestimmten, daß es uns hier gefiel. Es gefiel uns hier, das war ein demokratischer Entscheid.

Das war eine schöne Schweiz.

Wie deutsch sind die Deutschen?

Es gibt jenen plumpen und faden Witz vor einer Papst-
wahl, Frage: »Wer wird wohl gewählt?«, Antwort: »Sicher wieder ein Katholik.« Mir fällt der dumme Spruch
zu den deutschen Wahlen ein: »Sicher wieder ein Deutscher!«

Was ist das, »ein Deutscher«? Wir Schweizer haben
unsere Vorstellungen davon. Wir sind ganz sicher, daß
wir sie erkennen, überall und unter allen Umständen,
das heißt, wir nehmen an, daß sie ganz sicher anders
sind, ganz anders als alle anderen.

1948, ich war dreizehn, sah ich den ersten Deutschen,
leibhaftig – es muß seine Gründe haben, daß mir dieses
Wort dazu einfällt. Es war irgendwo in der Gegend von
Saas Fee. Er hatte ein altes Motorrad, sah freundlich aus
und war es auch. Mein Vater sprach mit ihm, das über-
raschte mich immerhin, und der Deutsche sagte sehr
bald, daß er kein Nazi gewesen sei. Das nahm ihm mein
Vater sehr übel. Natürlich kann das – übersetzt in
schweizerisches Sprachverhalten – nur heißen, daß er
mit Sicherheit einer war.

Ich habe später Deutschland und Deutsche kennengelernt, und das erste, was mir an ihnen auffiel, war
Sprache. Eine Sprache, die uns keineswegs fremd ist,
eine Sprache, die auch wir lesen und schreiben – keine
Fremdsprache für uns, schon gar nicht mehr durch das

deutsche Fernsehen –, Wort für Wort verständlich. Ich gewöhnte mich auch an den mündlichen Gebrauch recht schnell, doch mehr und mehr muß ich feststellen, daß ich deutsche Umgangssprache nicht einschätzen kann. Ich weiß nicht genau, was hochdeutsche Sätze und Wörter bedeuten, die Mentalität, die hinter ihnen steht, ist mir fremd.

Ich habe mit Studenten an der Universität Essen unter anderem Unterschiede zwischen gesprochener und geschriebener Sprache herausarbeiten wollen. Ich scheiterte, wir konnten uns darüber nicht verständigen. Ein schweizerdeutscher Satz, übersetzt ins Hochdeutsche, ist eben noch lange nicht hochdeutsche Umgangssprache.

Erst jetzt begann ich, den Deutschen bewußt zuzuhören. Ich achtete auf deutsche Sätze im Speisewagen, im Restaurant und auf der Straße. Ich schrieb die Sätze auf und legte sie meinen Studenten vor. Ich fand die Sätze eigenartig oder komisch, sie aber fanden nichts Besonderes daran, sie sagten: »Ja, so spricht man.«

Zwei Beispiele:

»Dürfen wir hier Platz nehmen, es kommt nachher dann sogar noch einer dazu, darf der dann auch Platz nehmen?«

»Herr Ober, wir haben uns eben da rüber gesetzt, weil wir jeden Sonnenstrahl ausnützen wollen.«

Als Schweizer halte ich das für Papiersprache. So spricht man nicht. So schreibt man höchstens, wenn man schlecht schreibt. Wir würden das auf Schweizerdeutsch kürzer machen oder sein lassen. Wir Schweizer haben nicht den Eindruck, mit Sprache umzugehen, wenn wir sprechen. Wir sprechen die Dinge nicht aus. Inhalte werden bei uns verinnerlicht und nicht ausgesprochen. Die Deutschen aber sprechen. Ich bin inzwischen eigentlich sicher, daß jener in Saas Fee kein Nazi war. Deshalb hat er es wohl auch gesagt. Bei uns aber kommen jene, die sprechen, in Verdacht. Eine Rede in der Schweiz ist immer eine Ausrede. Und die Deutschen, die sprechen uns zu viel, sie sprechen immer, und sie sprechen alles aus.

Es ist für mich recht schwer, einen deutschen Freund zu begrüßen. Das schweizerische »Sali« genügt nicht, und daß er mich mit einem ganzen Wortschwall überschüttet, stört mich. Er sagt: »Ich freue mich sehr, dich wiederzusehn. Du weißt gar nicht, wie sehr wir dich vermißt haben, wir werden auch ganz bestimmt, aber vorerst einmal...« Auf Schweizerdeutsch wäre das nicht nur unglaubhaft, sondern auch lächerlich. Ich verstehe jedes Wort, ich verstehe den Inhalt – es ist dieselbe deutsche Sprache wie unsere, nur etwas anders ausgesprochen. Aber ich befinde mich in einem sehr fremden Land. Die Sprache dieses Landes ist keine Fremdsprache, aber sie behandelt Inhalte, die von uns sprachgehemmten Schweizern nicht sprachlich behandelt werden. Das ist auch der Grund, daß wohl niemand so große Schwierigkeit mit den Deutschen hat wie wir Deutschschweizer. Weil sie eine Sprache sprechen, die wir zu verstehen glauben, erschrecken wir so sehr, daß sie ganz anders sind. Wir freuen uns über das Anderssein der Amerikaner, der Franzosen – das Anderssein der Deutschen ist und bleibt ein Ärgernis. Und das Anderssein hat mit einem anderen Bewußt-

sein zu tun, oder vielleicht sogar mit *mehr* Bewußtsein.

In Deutschland werden die Dinge ausgesprochen. Es
gibt zum Beispiel Radikalenerlasse und Berufsverbote
in der Bundesrepublik. Sie werden auch bekämpft und
diskutiert. Bei uns in der Schweiz ist das sehr viel einfacher: die Lehrer werden gewählt oder eben nicht gewählt. Die Chance eines linken Lehrers ist bei uns Zufall. In der Bundesrepublik ist nicht nur das Verbot
Gesetz, sondern auch die Chance eines linken Lehrers.
Das Verbot ist unschön, aber man wagt es auszuspre-
chen und setzt damit Grenzen, auf die man vertrauen
kann. Die nicht festgelegte schweizerische Hetzjagd
unter dem Deckmantel der Demokratie ist undemo-
kratischer.

Den Assistenten, die ich kennengelernt habe, an
der Universität Essen, hatte man allen schon einmal
in irgendeiner Form gekündigt. Sie haben sich auf
dem Beschwerdeweg oder gerichtlich gewehrt. Jetzt
sind sie noch da und grüßen ihren Professor so
freundlich wie zuvor. Man geht in Deutschland für
seine Rechte vor Gericht, viel schneller und öfter als
bei uns. Das hat mitunter seine Vorteile. Es hat aber
seine Nachteile, weil von da weg alles Wort für Wort
ausgesprochen und ausformuliert ist – weil es kein
Zurück mehr gibt. Man vertraut in der Bundesrepublik dem Gesetz, man vertraut der Sprache und
eigentlich nur der Sprache. Schweizerischem »Nicht-
davon-Sprechen« ist das nicht geheuer. Wir ertragen
sprachliche Exaktheit nicht und machen lieber Verfas-

sungsartikel, die ein unbrauchbares Sowohl-Als-auch beinhalten.

Deutscher Exaktheit wäre unsere Unentschiedenheit ein Greuel. Aber die Deutschen schaffen eine Bürokratie, die fast unerträglich ist – Formulare, Formulare, Formulare; es gibt in diesem Land nichts mehr, was nicht gesetzlich geregelt wäre. Und die Sprache, in der diese Bürokratie stattfindet, ist für uns Schweizer nun allerdings eine Fremdsprache. Ich war in Essen nicht fähig, auch nur ein einziges Formular auszufüllen. Ich habe die Sprache auf den Formularen als Deutsch erkennen können, aber keinen Satz verstanden. Auch die Deutschen beklagen sich darüber, aber da gibt es kein Zurück mehr. Die Formulare nehmen dauernd zu. Mit ihnen auch – das muß gesagt sein – die Gerechtigkeit, aber wo endet das? Kann man Demokratie durch Gesetz erzwingen? Ist der Gerichtshof der Ort, wo Demokratie verwaltet wird? Ich meine das als echte Fragen, und entsprechende Gegenfragen an die Schweiz wären nicht unberechtigt.

Diese exakte, unumstößliche hochdeutsche Sprache – in kleinen New Yorker Experimentiertheatern habe ich dreimal erlebt, daß irgendeiner in einer Phantasiesprache zu schreien anfing. Ich wußte nicht, was das soll, und fragte meinen amerikanischen Begleiter. Er erklärte mir, daß der Schauspieler nun Deutsch nachahme. Das Publikum schien das offensichtlich auch zu begreifen. Ich konnte aber nichts Deutsches hören. Ich habe mich ein bißchen geärgert und mich dabei mit den Deutschen solidarisiert. Der Schauspieler hatte nun doch auch meine eigene Sprache verhunzt – ich war nun doch auch ein Deutschsprechender. Ich frage mich, ob nicht vielleicht auch mein Sprachbild von den Deutschen ähnlich falsch ist. Die Deutschen sprechen nicht so, wie Hitler sprach. Sie bemühen sich auch, nicht so zu sprechen. Ich schäme mich dafür, daß ich Hitler immer noch nicht vergessen kann, wenn ich meinen deutschen Freund sprechen höre.

Die Deutschen sind die Opfer eines Klischees. Wir sind überzeugt, daß sie diesem Klischee gleichen, und sehen sie als Karikaturen. Die vielen, die ihm nicht gleichen, bezeichnen wir einfach als nicht typisch deutsch. Wir glauben zu wissen, was von Deutschen zu erwarten ist.

Ich höre hier in der Schweiz immer wieder: »Die Wiedervereinigung der Deutschen würde Krieg bedeuten. Die würden losschlagen.« Woher beziehen wir dieses Wissen? Wie kommen wir darauf, daß bundesrepublikanische Deutsche kriegswütig sind? Fast scheint mir, es ist so etwas wie negative Heldenverehrung. Wir trauen den Deutschen alles zu. Wir glauben, daß die Deutschen alles können – daß sie zum Beispiel auch den Krieg können. Und wir glauben nicht daran, daß jemand auf etwas verzichtet, was er kann.

Ich besuche eine Frau in Deutschland. Auf dem Tischchen neben dem Sofa steht ein gerahmtes Foto, ein junger Mann in der Uniform eines hohen SS-Offiziers. Ich erkenne ihn. Man kennt ihn. Die Frau sagt: »Das ist mein Vater – aber ich habe ihn nur als kleines Kind gekannt, und ich hatte ihn wirklich gern, er war ein sehr lieber Vater.« Die politischen Meinungen der Frau sind ähnlich wie meine. Sie ist eine Linke. Sie ist gleich alt wie ich. Aber ich bin Schweizer.

Ich treffe einen Mann, zufällig bei einem Freund, ein kleines Fest. Der Mann spielt Handorgel und kennt alle linken Lieder. Auch er etwa in meinem Alter. Plötzlich sagt er, daß er einer der beiden Verteidiger von Eichmann war, bezahlt von Israel, einfach ein Mandat, das er als Jurist übernommen hat. Er sagt, wie schwer es ihm gefallen sei. Wir sprechen nicht viel davon. Aber ich beginne den Mann zu beobachten. Ich achte auf seine Sätze. Ich höre ihm genau zu. Nichts spricht gegen ihn. Er wird, da bin ich sicher, sozialdemokratisch wählen. Er ist, da lege ich die Hand dafür ins Feuer, kein alter Nazi und kein Neonazi. Auch er etwa in meinem Alter. In meinem Alter, aber ein Deutscher.

Die Deutschen hatten – dafür konnte ich sie vor Jahren fast noch beneiden – einen Paß und eine Nationalität, auf die man nicht stolz zu sein brauchte. Aber ich erinnere mich auch an meinen Ärger, als sie 1954 Fußballweltmeister wurden, an meinen Ärger darüber, daß sie sich freuten. Und ein drittes Aber: Ich komme mir immer ein bißchen schlecht vor, wenn ich im Ausland gefragt werde: »Sind Sie Deutscher?« und ich sagen muß: »Nein, Schweizer.« Es kommt mir dann so vor, als hätte ich mich meiner deutschen Freunde geschämt und sie im Stich gelassen. Schweizer-Sein ist dann vor allem Nicht-Deutscher-Sein.

Deutsch-Sein gilt als negative Qualität. Man hört bei uns den Satz: »Ich kenne einen Mann aus Hamburg, aber er ist ganz und gar kein Deutscher.« Kein Deutscher bleibt unbeobachtet. Wenn er sich dann aber als Mensch entpuppt, sagen wir, er sei nicht deutsch. Unser verinnerlichtes Feindbild ist immer noch Deutschland. Das deckt sich zwar nicht mit unserem militärischen Feindbild. Aber wenn ich das Wort »Grenze« höre, dann denke ich an den Rhein.

Weshalb fürchten wir uns so vor den Deutschen? Vielleicht weil wir wissen, wie schlecht wir von ihnen reden – und weil wir Angst haben, sie könnten das auf die Dauer nicht ertragen. Wir fürchten, daß sie sich entscheiden könnten, die Unbeliebtheit anzunehmen, um ungeliebt, aber mächtig werden zu wollen. Wir geben den Deutschen keine Chance und fürchten, sie könnten sich die Chance selbst nehmen. Wir trauen ihnen das zu, und die politische Leistung dieses Landes wird bei uns abgetan mit der Formel »Wirtschaftswunder«. Dabei ist die Bundesrepublik ein erstaunliches Land. Kein Land der Welt – nie und nirgends – hat innerhalb von drei Jahrzehnten so viel Demokratie, so viel Rechtsstaatlichkeit und so viel soziale Gerechtigkeit erreicht und geschaffen wie dieses Land, das wir hier in der Schweiz und in der westlichen Welt als Deutschland bezeichnen. Näher bezeichnet wird nur der andere Teil.

Was Deutschland erreicht hat, ist nicht einfach der Erfolg des Fleißes, ist nicht der Erfolg der deutschen Sturheit, sondern ist ein Erfolg des Denkens, des Sich-Besinnens, der Konsequenz – und ein deutscher Erfolg insofern, daß hier eben die Dinge ausgesprochen und Wort für Wort als Gesetz niedergelegt werden.

Die Bundesrepublik ist eine Hoffnung. Wenn sie scheitern sollte, dann gibt es eine Hoffnung weniger in der Welt. Auch das mag ein Grund dafür sein, daß wir die Deutschen so penetrant beobachten. Was passieren wird, das wissen wir im voraus, sie werden »deutsch« sein – wir wissen nur noch nicht, wann.

Und die Deutschen fühlen sich beobachtet. Sie wissen, daß es darum geht, so wenig deutsch als möglich zu sein, aber das Undeutsch-Sein mißlingt ihnen. Es mißlingt ihnen ganz einfach sprachlich. Es mißlingt ihnen, weil sie darüber reden. Es mißlingt, weil sie diese Forderung der Welt halbwegs angenommen haben – es ist eine unmenschliche Forderung. Man muß sich vorstellen, was das bedeuten würde, wenn eine ganze Welt von uns Schweizern verlangen würde, unschweizerisch zu sein, oder von den Franzosen, daß sie unfranzösisch sein müßten.

Was waren denn Deutsche vor 1933 und vor 1914? Ich weiß es nicht. Wissen es die Deutschen? Würde ihnen dieses Wissen etwas nützen? Unter welchen Bedingungen haben sie denn undeutsch zu sein?

Ist es vielleicht so, daß *wir* die Bedingungen stellen? Daß *wir* – das übrige Europa – beschlossen haben, wie die Deutschen waren und daß sie nicht mehr so zu sein haben? Wir stellen die Bedingungen, und sie erschrecken uns immer wieder als Musterschüler. Eigentlich lernen sie alles zu schnell.

Ich gestehe, daß ich grauenhaft Mühe habe mit den

Deutschen. Wenn ich sie treffe, klappern sie alles herunter, was sie kennen und gelernt haben. Ich komme mir vor wie ein Lehrer, der nicht bereit ist, dem Musterschüler eine faire Note zu machen. Dabei habe ich persönlich nur eine sehr vage Vorstellung davon, was Deutschland war – vor 1933 –, als Deutsche noch so etwas wie Deutsche sein durften. Ich kenne keine deutsche Lebensart, und das wenige, was ich weiß, beziehe ich aus der Literatur, so zwischen Thomas Mann und Hans Fallada, zwischen dem gepflegten Salon und der proletarischen Straße. Dieses Deutschland der proletarischen Straße – es mag romantisch sein –, ich habe eine Neigung dazu, und es kann mir gefallen. Ich finde oder fand noch einen Hauch davon in der Berliner Eckkneipe. Aber im Zentrum von Berlin – in Charlottenburg – finde ich es kaum mehr. Der Duft der großen weiten Welt, bezahlt und eingekauft, hat auch Berlin erreicht. Sie machen mir grauenhaft Mühe, die Deutschen, wenn sie einkaufen und bezahlen. Schlechtes italienisches Essen und schlechtes französisches, griechisches, jugoslawisches Essen ist hier leichter zu finden als einfaches, gutes deutsches Essen. Das Eisbein ist inzwischen unter der Würde eines Deutschen, und gutes deutsches Essen kenne ich nur noch von meinem Leibkoch Günter Grass. Soll ich nun deshalb sagen, er sei der einzige Deutsche oder der einzige Nicht-Deutsche? Beides ist in diesem Zusammenhang falsch, weil es in diesem Zusammenhang wohl kaum Zusammenhänge gibt.

Die Deutschen oder Nicht-Deutschen gehen zum Italiener, zum Griechen, zum Jugoslawen. Aber sie gehen zum Italiener, der sein Geschäft mit Deutschen macht und weiß, wieviel Zucker für den deutschen Geschmack dem Wein beigefügt werden muß. Er weiß, daß sie das Fleisch mit Sauce mögen, und er serviert Gerichte mit ialienischen Namen an deutscher Sauce. Im französischen Restaurant gibt es gebackenen Camembert – ein Stück Käse, ins ranzige Fritüre-Öl getaucht –, ich weiß nicht, ob es das irgendwo in Frankreich gibt. Aber hier in Deutschland scheint das die französische Küche zu sein.

Die Deutschen sind eigenartige Internationalisten. Sie haben sich wirklich der Welt geöffnet, aber sie können es nicht lassen, zu erobern. Sie begreifen und ergreifen zu schnell. Sie verstehen die Welt aber nur, wenn sie eingedeutscht ist, und sie bezahlen so gut, daß sich für die Ferienländer das Verdeutschen ihrer Kultur lohnt. Ein Restaurant in Spanien bietet »Deutsche Paella« an. Ich kann mir darunter nichts vorstellen und frage mich ernsthaft, ob sich die Deutschen darunter etwas vorstellen können. Die Deutschen sind politisch ganz und gar keine Imperialisten, aber ihr untauglicher Versuch, kosmopolitisch zu sein, wirkt imperialistisch.

Gibt es vielleicht einen Unterschied zwischen bundesrepublikanischer Politik und deutschem Leben?

Und sie lernen die Internationalität. Deutsche Frauenzeitschriften zum Beispiel sind so etwas wie Schulbücher für eingedeutschte Exotik. Das kaum realisierbare Rezept für ein kompliziertes französisches Gericht (mit wunderbarem Farbfoto) ist nichts anderes als ein moralischer Hinweis. Man redet der deutschen

Frau ein, daß sie ein besserer Mensch ist, wenn sie französisch ißt.

Und während des Essens reden die Deutschen von Rezepten. (Meine helvetische Seele hält das für Pornographie. Ich kann nicht essen, wenn von Rezepten gesprochen wird.) Aber man kann mit einem Deutschen keine Spaghetti essen, ohne daß er dauernd über Spaghetti spricht und seine gesamten Spaghetti-Erfahrungen ausbreitet. Spaghetti sind ihm nicht selbstverständlich. Essen ist ihm nicht selbstverständlich. Nichts ist ihm selbstverständlich. Alles muß in Sprache umgesetzt werden. Er muß sich dauernd selbst überreden. Geplauder ist ihm fast unbekannt. Er nennt die Meter und die Höhe und die Dauer, er spricht von Fakten, und er hat zu jedem Ding seine Philosophie und verschwört sich darauf. Er hat sogar den Verdacht, daß die Franzosen selbst das Französische falsch aussprechen, weil sie es zu wenig auf der letzten Silbe betonen. Sie machen hie und da den Eindruck, als müßten sie den Franzosen beibringen, richtige Franzosen zu sein. Einem Deutschen ist das im letzten Jahrhundert gelungen – Karl May: Er hat die Indianer erfunden. Wir Schweizer sind zwar auch Schulmeister, wir sind die Schulmeister der gerunzelten Stirn. Die Deutschen sind die Schulmeister, die sprechen und erklären. Sie haben ihre Vorstellungen von Italien, von italienischem Wein und setzen diese Vorstellungen auch durch.

Dabei sind sie keineswegs weltfremd. Die politische und soziale Analyse anderer Länder gelingt ihnen. Bücher von deutschen Autoren über das Ausland sind immer wieder von hohem Sachverstand – von höherem jedenfalls als diese meine Zeilen über Deutschland. Sie verlassen sich nicht auf Gefühl, sie suchen die Fakten, sie sprechen sie aus und formulieren. Und man kann einem, der deutsch schreibt, keinen Vorwurf machen, wenn er dabei auch eindeutscht. Etwas schwieriger wird es beim deutschen Publikum, das schlußendlich die ganze Welt als bare deutsche Münze nimmt. Schließlich kennt es Marlon Brando auch nur deutschsprechend, und alles, was Ausland ist, ist ein deutsches Abenteuer im Stile von Karl May.

Aber so etwas kann ja auch nur passieren und nicht absichtlich gemeint sein. Doch niemand gesteht einem Deutschen zu, daß ihm etwas zufällig passiert. Das Volk der Dichter und Denker – so nehmen wir an – tut alles absichtlich, überlegt in voller Verantwortung. Den Österreichern ist der Nationalsozialismus nur passiert, den Italienern ist der Faschismus nur passiert – verziehen und vergessen. Die Deutschen aber haben ihn gemacht, willentlich. Man gesteht einem Deutschen nie zu, daß er Opfer sein könnte. Er ist immer Täter. Er hat den Ruf, intelligent zu sein, fleißig zu sein. Man lobt ihn dafür und fürchtet sich davor. Man weiß, daß z. B. sein Weltmeistertitel im Fußball durch Schweiß und Arbeit errungen worden ist. Man weiß auch, daß die Deutschen gewinnen können, gewinnen werden, man staunt. Aber man ärgert sich über ihren Sieg. Und man ärgert sich noch viel mehr darüber, daß sich die Deutschen über den Sieg freuen. Wenn sich ein Deutscher über Deutschland freut, kommt er in Verdacht. Wir glauben, daß er eigentlich kein Recht hat, sich über Deutschland zu freuen. Und weil wir den Deutschen das antun, glauben wir immer noch, daß Deutschland nichts anderes im Sinne hat, als der Welt etwas anzutun.

Mir scheint – nachträglich –, daß der Nationalsozialismus unseren Vätern genau das bewiesen hat, was sie bewiesen haben wollten. Und ich habe den Eindruck, daß wir Söhne den Deutschen alles andere, was sie beweisen, eigentlich nicht glauben.

Dabei hat sich kein anderes Land international so sehr engagiert wie die Bundesrepublik. Internationale Solidarität ist nirgends so wie hier eine Selbstverständlichkeit. Die Bundesrepublik deklariert diese Solidarität nicht nur, sie bezahlt auch. Sollte sich Deutschland isolieren, der Schaden wäre nicht auszudenken. Die Europäische Gemeinschaft würde zusammenbrechen, und viele andere internationale Organisationen bekämen immense Schwierigkeiten. Die Bundesrepublik ist ein friedlicher Staat, und sie bezahlt für den Frieden. Warum gefällt das so vielen nicht? Warum läßt man sie unter diesen Bedingungen nicht Deutsche sein? Warum müssen wir sie zum dauernden Mißlingen zwingen? Warum macht es uns so Spaß, daß ihnen trotz Wohlstand das Leben nicht gelingt?

Den Deutschen gelingt das Leben nicht. Ich kann deutsche Lebensart nicht beschreiben, ich frage mich, ob es überhaupt eine deutsche Lebensart gibt. Deutschland hat sich zwar in den letzten zwanzig Jahren verändert. Die Deutschen sind sichtbar wohlhabend geworden.

Aber mir scheint, sie haben sich mit dem mehr Geld nur mehr Mief angeschafft. Deutschland – Leben in Deutschland – macht mich traurig. Die Deutschen erinnern mich an die Unmöglichkeit des Lebens schlechthin. Die Formel »Wirtschaftswunder« – ein bewundertes Wunder zwar – haben wir doch immer nur zynisch gebraucht. Die demütigen geschlagenen Deutschen paßten uns ohnehin nicht ins Konzept. Sie mußten wieder jemand werden – »Wir sind wieder wer« –, damit sie wieder so deutsch waren, wie wir das wollten. Wir haben bis 1960 gewartet, bis die ersten deutschen Aufschneider wieder da waren, und beim ersten schon haben wir aufgeschrien: »Aha, die Deutschen, da sind sie wieder.«

Ich bin mit meinem Jahrgang 1935 zu jung, um irgendeine Vorstellung zu haben von so etwas wie deutscher Kultur. Ich kenne die Deutschen erst, seit sie nicht mehr Deutsche sein dürfen, seit sie beim Italiener und beim Griechen essen, und ich habe das Eisbein kaum mehr mit einem Deutschen zusammen gesehen. Der Deutsche bezieht und kauft nach und nach alles aus zweiter Hand: die Reise von Neckermann, das Essen aus der Illustrierten, die Erotik aus der Fernsehdiskussion. Es gibt ein Deutschland, aber eigentlich keine Deutschen mehr. Die Deutschen haben ihre Identität nicht mehr gefunden. Sie mußten zu viel beweisen, sie mußten es zu schnell beweisen. Alten unverbesserlichen Deutschenhassern mag das recht sein, denn sie glauben ja zu wissen, was diese Identität bedeuten würde. Sie glauben, daß nur ein Deutscher mit schlechtem Gewissen und Minderwertigkeitskomplex ein guter Mensch sein kann. Ich frage mich, wie lange das die Deutschen noch ertragen werden.

Und die Wahlen?

Jeder Nicht-Deutsche wüßte wohl, wen er zu wählen hätte. Die meisten Deutschen wissen es auch. Sie wissen auch, wer gewählt wird. Mit den Sozialdemokraten sind sie nicht schlecht gefahren. Adenauer hat zwar für neuen Respekt gegenüber Deutschland gesorgt, Respekt vor sogenannten deutschen Tugenden. Brandt hat Deutschland die Welt geöffnet, er hat den Deutschen einen Paß gegeben, für den sie sich nicht mehr zu schämen brauchten.

Ein Mann in meinem Alter in Essen sagt mir: »Ich habe immer sozialdemokratisch gewählt, aber ich habe es noch nie so ungern getan wie diesmal.« Ich frage ihn: »Warum denn?« Und er sagt: »Weil ich diesmal muß.«

Das mag eine politische Aussage sein. Wir kennen das auch vom Schweizer Wirtschaftswunder, der Bruttosozialproduktzwang läßt kaum mehr Alternativen zu, die Politik sinkt in sich zusammen.

Aber vielleicht heißt das »Weil ich muß« auch, daß der Deutsche alles, was er tut, vor dem Ausland verantworten muß. Wie würden wir Schweizer darauf reagieren, wenn wir das müßten? Wir würden wohl trotzen, nationalistisch werden und uns noch mehr isolieren. Jedenfalls hat die Welt – die dritte und vierte Welt – vom deutschen Wirtschaftswunder mehr abbekommen als vom schweizerischen. Wir sind nämlich auch Germanen – wir Deutschschweizer –, und wir gleichen unserem Nachbarn in vielem. Aber wir sind eben unschuldige Germanen. Deshalb können wir uns Dinge leisten, die wir den Deutschen übelnehmen würden. Wir leisten uns das auch. Vielleicht können wir das nur, weil es sich die Deutschen nicht mehr leisten können. Wie anders sind wir denn?

In einem gelobten Land

An einem Kneipentresen in Frankfurt steht ein Arbeitsloser und klagt über die Ämter und über die schlechte Arbeitslosenkasse. Er findet Zuhörer und Mitkläger. Nun erklärt er plötzlich, daß das in der Schweiz alles viel besser geregelt sei, und er weiß auch genau, wie. Er entwirft in seinem Kopf eine Versicherung, die genau auf ihn zugeschnitten ist, genau seinen Wünschen entspricht, und er behauptet, genau das sei die Regelung in der Schweiz. Nun glaube ich, eingreifen zu müssen, erkläre ihm, daß ich selbst Schweizer sei, daß seine Schilderung keineswegs der Wahrheit entspreche, ich versuche, ihm unsere Regelung zu erklären, und ich sage ihm, daß unsere Arbeitslosenversicherung keineswegs besser sei als die deutsche. Er wehrt sich gegen meine Aussage. Er hat Freunde in Zürich, und die haben ihm das genau erklärt. Das ist sogar möglich; es gibt solche Freunde in Zürich, die alles unternehmen, um gelobt zu werden. Aber viel eher ist es nur der Traum des deutschen Arbeitslosen. Er entwirft sich einen Traum, und den muß er ja schließlich irgendwo ansiedeln, und er siedelt ihn dort an, wo alles besser sei – in der Schweiz.

Ein deutsches Ehepaar schwärmt von Saas Fee, dorthin gehen sie schon seit Jahren in die Ferien. Die Schweiz ist wunderschön, sagen sie. Ich selbst war schon seit vielen Jahren nicht mehr in Saas Fee, und die

Schweiz, in der ich wohne, sieht landschaftlich anders aus. Und wie gut das Essen dort und wie sauber alles ist, sagen sie. Und dann schwärmen sie noch von einer besonderen Sorte von Leberpain aus der Tube.

Ich kenne die Marke und mag sie auch, aber die Erwähnung von dieser kleinen Nebensache lächert mich doch. Man kann doch nicht ein Land lieben nur für einen Leberpain. Oder vielleicht doch? Ist vielleicht doch im Paradies das kleinste Detail ein Ausdruck der Wunderbarkeit. Dann folgt eine lange Entschuldigung; sie sagen, sie meinten damit etwa keineswegs mich oder einzelne, aber – sagen sie – man mag uns Deutsche dort nicht. Ich weiß es, und es tut mir leid. Ich schäme mich für den Haß der Schweizer auf die Deutschen.

Sie aber versuchen es mir zu erklären. Sie haben Verständnis dafür. Sie sind irgendwie schon so verschweizert, daß sie in den vielen Jahren bereits verinnerlicht haben, daß man sie nicht mag. Sie werden jedenfalls nichts von Fußball erzählen, sie werden ihr eigenes Land nie und nirgends lobend erwähnen. Dafür den geliebten Leberpain, die geliebten Berge, die geliebte Sauberkeit. Man wird ihnen aber auch das als deutsche Eigenschaft anrechnen und sie weiterhin nicht mögen.

Ähnliche Beispiele wüßte ich noch viele. Ich kann in der Bundesrepublik nicht sagen, ich sei Schweizer, ohne Komplimente kassieren zu müssen, Komplimente über Leberpain, aber auch Komplimente für Dinge, für die ich mich schäme: Komplimente zum Beispiel für unsere Ausländerpolitik – »Die Schweiz hat alle rausgeschmissen, recht so.«

Ich ertrage hier in der Schweiz die Fußballweltmeisterschaften nicht, es sind hier ausschließlich und nur Weltmeisterschaften gegen Deutschland. Ein Durchschnittsschweizer ist offensichtlich nicht fähig, ein schönes Tor von einem Deutschen als schönes Tor zu empfinden. Mein deutsches Saas-Fee-Ehepaar würde wohl – wenn es überhaupt soweit käme – im gleichen Falle mit der Mannschaft der Schweiz sympathisieren. Sie fühlen sich ja bereits so sehr als Schweizer, daß sie verstehen, daß man hier keine Sympathie für Deutsche hat.

Eigentlich sollte ich mich ja freuen, wenn unser Land gelobt wird. Ich komme ja auch ab und zu in die Situation, daß ich mein Land verteidigen muß. Aber ich gebe zu, ich mag dieses Lob nicht. Ich möchte nicht in einem Land leben müssen, das wirklich so aussieht, wie es von einer Vielzahl von Deutschen gesehen wird. Ich möchte nicht in einem Traum leben, und schon gar nicht in einem Spießertraum.

Die Schweiz, ein deutscher Spießertraum – wenn ich den Arbeitslosen in der Kneipe höre, dann bekomme ich plötzlich den Eindruck, wir Schweizer seien so etwas wie Superdeutsche, noch sauberer, noch fleißiger, noch reicher, noch schlauer. Ich bekomme den Eindruck, daß der Deutsche meint, wenn alles so wäre wie in der Schweiz, dann wäre die Welt gut.

»Ihr Schweizer habt es gut«, sagt er, »ihr müßt nicht zur Bundeswehr.« Es hat keinen Sinn, ihm zu erklären, daß wir eine Armee haben, daß wir keinen Zivildienst haben. Er wird mir nicht glauben, daß unsere Armee eine richtige Armee ist und unsere Unteroffiziere auch Unteroffiziere.

Wir werden aus Liebe nicht ernst genommen.

Das ist weiter nicht schlimm, und damit hätten wir uns abzufinden. Aber ich fürchte, wir selbst haben diese Legende übernommen. Wir spielen sie weiter und profitieren davon. Man hält uns für harmlos, also spielen wir die Harmlosen – man hält uns für Bauern, also spielen wir die Bauern.

Kein anderes Land wohl – nicht einmal Österreich – hat so sehr ein Bauern-Image wie die Schweiz. Dabei sind nur noch knapp sechs Prozent der arbeitenden Bevölkerung noch irgendwie an der Landwirtschaft beteiligt.

Aber ich glaube, wir leben wirklich von dieser Landwirtschaft, vom Bauern-Image. Wer sein Geld nach Zürich bringt, der bringt es eben nicht nur auf eine Bank. Er bringt es zum Bauern, und der steckt es in sein Portemonnaie und hütet es mit der vierschrötigen Zuverlässigkeit eines Bauern. Vielleicht sieht der Bankdirektor für deutsche Augen sogar so aus: ein behäbiger, ruhiger und langsam sprechender Mann.

Wir verkaufen auch unsere Maschinen als Bauern. Das Vertrauen in Schweizer Qualität – ich zweifle nicht daran, daß es sie gibt, aber ich bin überzeugt, daß es auch anderswo Qualität gibt – ist doch auch Vertrauen in den währschaften Bauern. Das sieht dann so aus wie Handarbeit, wie wenn der Bauer selbst in der Scheune mit dem Schraubenzieher die Schraube angezogen hätte, und was dieser mit seinen Pranken anzieht, das hält ein Leben lang.

Weil ich vielleicht mit dieser Aussage jemanden ärgern könnte – ich nehme mich nicht aus: Auch ich verkaufe meine Literatur in Deutschland als »Schweizer Bauer«. Ein Bauer, ein Schulmeisterlein, das hoch oben in seinem Alphüttlein sitzt und sogar ein bißchen schreiben kann; der so eigenartig Hochdeutsch spricht, wenn er vorliest, der Wörter braucht, die niemand versteht. Daß er vielleicht in seinem Schreiben auch raffiniert ist, das fällt dem deutschen Leser kaum auf, also bekommt der Schweizer Autor so etwas wie Seriosität. Weil er als langsam und bäurisch erscheint, traut man ihm den Betrug nicht zu.

Ich bin überzeugt davon, daß ein junger Schweizer Autor auf dem deutschen Literaturmarkt eine viel bessere Chance hat als ein ähnlicher junger deutscher Autor. Das ist zum Beispiel für einen Französisch schreibenden Schweizer auf dem französischen Literaturmarkt gar nicht so.

Wir profitieren davon, daß der Deutsche kein Chauvinist ist. Er hält eigentlich fast alles für Kultur, außer der eigenen Kultur. Und wir profitieren davon, daß die Deutschen eine große Neigung zum Exotischen haben. Wir Schweizer sind dann sozusagen die am nächsten liegenden Exoten, zudem Exoten, deren Sprache man noch ein bißchen versteht.

Exotisch ist etwas dann, wenn es etwas ganz anderes ist. Also ganz andere Leberpains, ganz andere Bankiers, ganz andere Soldaten, eine ganz andere Arbeitslosenkasse – ein Traum, in dem alles ganz anders ist.

Vielleicht sind wir Schweizer ein bißchen anders. Ich habe selbst den Eindruck, daß wir es sind. Aber wir gleichen wohl niemandem so sehr wie den Deutschen – ich meine wir Deutschschweizer. Diese Aussage werden mir meine Landsleute übelnehmen, und die deutschen Schwärmer werden sich darüber auch nicht freuen, denn ich betrüge sie damit um ihren Spießertraum.

Das ist nicht schön von mir und eigentlich auch nicht nötig. Also könnte man es lassen. Ich fürchte mich nicht vor Fehleinschätzungen, vor falschem Lob, vor niedlichen Legenden. Ich fürchte mich nur davor, daß meinen Landsleuten diese Legende genügen könnte. Ich fürchte mich davor, in einem deutschen Spießertraum leben zu müssen. Ich fürchte mich vor der Geschäftstüchtigkeit meiner Landsleute, die alles herstellen, was gewünscht wird, die dann auch das Land, das gelobt wird, selbst für das gelobte Land halten und sich davor fürchten, daß alle, aber auch alle, in dieses gelobte Land möchten. Unsere Ausländerfeindlichkeit hat auch damit zu tun, daß wir von den Ausländern gelobt werden. Wir fürchten, man könne uns beneiden. Das treibt uns in eine »splendid isolation«.

Das führt zum Beispiel dazu, daß wir nicht Mitglied der Uno sind, daß wir nicht Mitglied der Europäischen Gemeinschaft sind. Und auch dafür, für diesen Eigennutz, werden wir gelobt von Konservativen und Reaktionären in der ganzen Welt.

1982 schrieb die »Frankfurter Allgemeine« über die Zürcher Krawallprozesse, daß da auch Kritik an der Prozeßführung laut geworden sei: »Die rasche Abwicklung der Vorgänge hat ihren wichtigsten formalen Grund in der starken Stellung von Polizei und Anklagebehörde bei den ersten Ermittlungen. Eine Rechtsbelehrung des Festgenommenen muß in der Schweiz nicht stattfinden. Die erste Einvernahme des Beschuldigten und der Zeugen erfolgt durch die Polizei, ohne daß ein Verteidiger hinzugezogen werden kann.«

Das lobt die FAZ. Ich weiß nicht, ob das lobenswert ist. Jedenfalls entspricht es nicht bundesrepublikanischem Rechtsdenken. Sind wir auch in diesem Sinne ein Vorbild? Haben wir in der Schweiz bereits erreicht, was für rechtsbürgerliche Kreise in der Bundesrepublik immer noch ein Wunschtraum ist?

Politik, zugegeben, ist eine schwierige Sache. Sauber ist sie nirgends ganz, auch menschlich und gerecht nicht. Aber ein bißchen Mühe gibt man sich hier wohl schon. Weil aber Politik nicht so ganz sauber ist, gehört zum Spießertraum auch, daß das gelobte Land ohne Politik sei.

Dem ist nicht so, und dieser deutsche Traum gegenüber meinem Land beleidigt mich am meisten. Weil die Politik nicht zum Spießertraum gehört, nimmt man sie nicht wahr.

Damit schließt man uns aus von Europa, und wir sind dumm genug anzunehmen, daß wir mit Europa nichts zu tun haben. Wir sind das Inland, alle anderen sind das Ausland. So einfach ist unsere zweigeteilte Welt.

Schweiz ohne Armee

»Als ich jung war, wurde ich eines Tages einberufen,
um meinen Militärdienst zu leisten, aber ich verweigerte ihn aus Gewissensgründen. Man sagte mir, es
handle sich nicht darum, in den Krieg zu gehen, sondern nur darum, zwei Jahre lang täglich einige einfache
militärische Übungen auszuführen, die meinen Körper stärken und meinen Charakter bilden würden. –
›Meine Herren‹, erwiderte ich, ›die Funktion entwik-
kelt das Organ. Ich werde Ihrem Aufruf Folge leisten,
doch nach zwei Jahren einfacher militärischer Übungen müssen Sie mir gestatten, einen Menschen zu töten,
eine Alte zu erstechen, ein Mächen zu schänden, eine
Bibliothek in Brand zu stecken und eine Kirche auszurauben.‹«

Das habe ich nie gesagt.

Und jener, der es geschrieben hat – Ennio Flaiano in
seinem *Nächtlichen Tagebuch* –, hat das in Wirklichkeit
auch nicht gesagt. Er mußte als Unterleutnant am ita-
lienischen Äthiopien-Feldzug teilnehmen, und er hat
später in seinem Roman *Alles hat seine Zeit* darüber
geschrieben – eines der schönsten und der traurigsten
Bücher, die es gibt.

Den Abschnitt in seinem Tagebuch hat er viel später
geschrieben, als Fiktion, als Utopie, als Vorstellung.

Daß man auch nicht gehen kann, nicht gehen muß, nicht gehen sollte – das wußte ich schon damals, als ich einrückte in diese Kaserne hier, in der wir jetzt sitzen.

Es gäbe Geschichten darüber zu erzählen, von einem dummdreisten sadistischen Feldwebel, vor dem uns niemand in Schutz nahm, Geschichten von guten Kollegen, einem freundlichen Leutnant. Ich mag sie hier nicht erzählen.

Ich erinnere mich, wie wir um unser Leben rannten, wenn abends etwas schiefging mit der Straßenbahn, mit dem Bezahlen in der Beiz.

Mein Bettnachbar hatte es einmal nicht ganz geschafft – eine Minute zu spät –, und ich sah nachts, wie er aus dem Dachfenster kletterte, und ich rannte und hielt ihn an den Füßen zurück, und er wollte raus und runterstürzen, und ich schrie um Hilfe, lag nun selbst auf dem Dach, ich hielt seine Füße, meine Kameraden meine. Wir haben es geschafft – er kam ins Krankenzimmer, und dann haben wir ihn nie mehr gesehen.

Ein Schwächling halt.

Nur eine Minute zu spät, das war für ihn Grund genug, sein Leben wegzuwerfen. Man diszipliniert mit der Angst – mit der Todesangst. Die Armee ist auch in Friedenszeiten tödlich.

Die Armee ist auch ästhetisch. Ich besitze ein schwarzes Feuerzeug im Armee-Look – geschwärzter Stahl –, ich besitze eine Stereoanlage – schwarz – im Armee-Look. Mir ist alles gräßlich, was mich an Armee erinnert – aber gegen Armeeästhetik kann ich mich nicht wehren.

Ich bin nicht nach Ramstein gegangen. Das interessiert mich nicht. Aber jene, die gegangen sind, sind nicht gegangen, um Krieg und Tod zu sehen, sondern nur ein bißchen Militärästhetik, Flugästhetik – sie sind wirklich schön, die Maschinen.

Durch menschliches Versagen seien sie abgestürzt, ein grauenhaftes Ereignis an einem wunderschönen Tag mit wunderschönen Vorführungen von wunderschönen Maschinen. Das ist doch kein Versagen, wenn Maschinen, die gebaut werden, um zu töten, es auch tun. Ab und zu tun sie es selbst und lassen sich von ihrer Bestimmung durch Menschen nicht abhalten. Militär ist tödlich.

Aber die anderen haben auch Militär – töten auch. Wenn wir nicht bereit sind zu töten, dann töten sie. Und sie, die anderen, sind nicht neutral, und sie sind nicht human und nicht liberal und nicht eine Milizarmee und keine demokratische. Ein paar Jahre nachdem ich hier in dieser Kaserne war, habe ich in Prag tschechische oder russische Soldaten – ich kann das nicht unterscheiden – exerzieren sehen. Und das sah ganz genau gleich aus, wie *wir* exerzierten hier in Basel, und der Offizier schrie genau gleich, und die Schuhe klapperten genau gleich. Und ich erkannte einige meiner Kameraden im tschechischen Zug – der kräftige Führer rechts (genau gleich) –, und ich erkannte mich im Zug – zweithinterste Reihe, Mitte links –, ein Ungeschickter, immer einen halben Schritt zu spät, wie ich, und Schritt für Schritt durch zunehmende Angst ungeschickter. Ich hätte hingehen können und sagen: »Laß mich mal, ich habe das gelernt in der Schweiz, und ich kann das so gut und schlecht wie du«, und ich wäre nicht aufgefallen, und ich hätte die Befehle verstanden, ohne ein Wort Russisch oder Tschechisch zu verstehen.

Warum sind die Armeen, die es nur gibt, weil es die anderen Armeen auch gibt, und nur, weil die andere Armee eine Gefahr ist – warum sind sie alle genau gleich? Und alle für den Frieden, alle für die Verteidigung, alle für die Disziplinierung, alle zum genaugleichen Exerzieren?

Das ist doch eigenartig.

Und warum darf ich als Schweizer Bürger und Schweizer Soldat von dieser Armee weniger wissen als der russische Geheimdienst und der russische Soldat wohl weniger über seine Armee als der amerikanische Geheimdienst.

Wohl weil Geheimhaltung immer Geheimhaltung vor dem eigenen Bürger ist.

Der eigene Bürger gefährdet die Armee, niemand so wie der eigene Bürger.

Ob sich das nicht auch umkehren läßt?

Mir fällt es furchtbar schwer, hier zu sprechen. Eine Grippe wäre mir jetzt lieb. Ich hätte mich vor dieser Veranstaltung so gern gedrückt wie vom Militärdienst – das habe ich nicht getan (leider), also kann ich es auch hier nicht tun.

Aber ich fürchte mich, ich habe Angst.

Ich hatte immer Angst, wenn ich ans Militär dachte. Ich träume nachts oft davon – und es sind kleine Spießerträume über einen kleinen Rostflecken an meinem Messer, über einen kleinen Fehler, der einen ins Ge-

fängnis oder aufs Dach der Kaserne bringen könnte.
Ich weiß, daß ich mich mit dem Schreiben dieses Textes
wiederum um meinen guten Schlaf bringen werde – ich
werde wieder davon träumen, daß ich eine Minute zu
spät einrücke, und ich werde schweißgebadet erwa-
chen.

Meinen Freund Franz hat es umgebracht. Franz war
nie so ängstlich wie ich. Franz ließ sich nicht auf die
Kappe scheißen. Die Offiziere fürchteten sich vor
Franz und quälten ihn. Und wenn wir schon von der
Armee sprechen, dann doch noch diese lustige Geschichte. Man war im WK oben auf der Alp. Die Soldaten zu Fuß, die Offiziere mit dem Jeep. Als sie wieder
zurück waren im Tal, nachts um elf, sagte der Hauptmann: »Füsilier Ast, ich habe meine Mütze oben vergessen, gehn Sie schauen, ob sie noch da ist.« Und
Franz ging, vier Stunden bergauf, zwei Stunden bergab,
und er war zurück zur Tagwache und ging zum Hauptmann und sagte: »Befehl ausgeführt, nachgeschaut, die
Mütze ist wirklich noch dort oben.« Dafür kam er in
die Kiste, selbstverständlich, und dafür wurde er bekannt. Die Geschichte wird oft erzählt. Das war der
Franz – eine himmeltraurige Geschichte –, denn in
dieser demokratischen Schweiz gibt es kein einziges
Gesetz, das den Hauptmann an seinem Tun hindern
würde.
  Ein Jahr später sollte Franz wieder einrücken. Franz
war kein ordentlicher Mensch, und das Zusammensu-
chen der Ausrüstung war nicht so leicht. Aber er
kriegte sie zusammen und packte, und er stand am an-

dern Morgen rechtzeitig auf, zog die Uniform an und die Schuhe, da riß ihm ein Schuhbändel. Da kriegte er so eine Wut und schmiß den Schuh in die Ecke und ging wieder ins Bett. Er erwartete, nun geholt zu werden, aber er wurde nicht geholt oder nicht gefunden. Er erzählte die Geschichte, eine lustige Geschichte – ich fand sie auch lustig, und ich fand sie mutig –, so mutig wäre ich nicht gewesen. Und es dauerte Wochen, bis die Vorladung kam. So lange hat er auch noch gelebt. Als sie kam, hat er sich aufgehängt. Jetzt lebt er nicht mehr. Die Armee ist tödlich.

Der Hauptmann lebt wohl noch – was könnte er denn für einen Grund haben, nicht mehr zu leben.

Immerhin sei zu bedenken, wer der Schweiz die Armee wegnimmt, der nimmt sie auch diesem Hauptmann weg.

Meinem Dienstkollegen René nehme ich sie ungern weg. Wir hatten es so gut zusammen als Sanitäter im Krankenzimmer. Wir hatten schöne Gespräche, gute Gespräche. Er konnte gut erzählen, und er erzählte von seiner großen Familie und von seiner Arbeit in der Fabrik am Band – seit dreißig Jahren schon. Und er ließ mich keine Kiste tragen, und er putzte und räumte auf – er tat alles. Und dann sagte er: »Weißt du, das tu ich gern, weil das immer noch besser ist als am Band sitzen.«

»Für dich ist das wohl etwas anderes«, sagte er.

Was ist das für eine Welt, in der einzelne in der Armee weniger entfremdete Arbeit zu leisten haben als zu Hause.

Nein, dem René könnte ich die Armee nicht weg-
nehmen. Aber vielleicht stimmt René doch ganz heim-
lich gegen die Armee – vielleicht. Es war ihm ein großes
Problem, daß sein Direktor auch hier war im Dienst als
Korporal, nur Korporal. Wäre er als Oberst hiergewe-
sen, das wäre kein Problem gewesen. Aber Soldaten
und Korporale duzen sich. Das ist ja schön – der Direktor und der Arbeiter –, doch René war sehr froh, daß sie
sich drei Wochen lang ausweichen konnten.

Aber das sind doch keine Argumente, das sind doch
keine Argumente, das sind doch keine Argumente.

Ich habe René nie mehr gesehen, aber ich weiß, er wird
für die Armee stimmen.

Das ist ein Argument. Und viele werden für die Armee stimmen, und das werden Argumente sein.

René kann sich diesen Staat, den ich mir ab und zu
vorstelle – und der mir in der Schule erklärt wurde und
an den ich glauben will –, René kann sich diesen Staat
nicht vorstellen. Für ihn ist der Staat einer, der den
Steuerzettel schickt, der Parkverbote aufstellt, der Bu-
ßen ausstellt, wenn man das Parkverbot mißachtet, und
zwar zu Recht. Der Staat ist für René so etwas wie
Frühling, Sommer, Herbst und Winter – der geschieht
einfach –, der schickt Zettel, und dann muß man. Man
muß sogar abstimmen, und zwar richtig.

Nirgends ist René so sehr mit diesem Staat – von
dem er weiß, daß er demokratisch ist und frei ist und
gut ist –, nirgends ist er mit diesem Staat so sehr in Kon-
takt gekommen wie im Militär.

Er stellt sich den Staat so vor wie das Militär – als ein

Muß. Er hat den Eindruck, daß, wenn die Armee abgeschafft würde, der Staat abgeschafft wäre. Und den brauchen wir doch – sonst parkiert jeder, wo er will.

Das ist das Elend – René weiß zwar, daß er in einer Demokratie lebt, er selbst aber ist kein Demokrat geworden. Er kennt nur diesen Staat, der Macht ausübt, und nirgends kam er ihm so nahe wie im Militär, nirgends machte er so viel Angst, nirgends war er so unausweichlich mächtig.

So gefährdet die Armee dauernd die Demokratie, die sie schützen will.

In der Armee hat der demokratische Staat seine absolutistische, seine feudalistische Erscheinungsform – und ich nehme an, daß sie zum Beispiel in einer Diktatur auch die Funktion hat, Diktatur zu relativieren.

Aber es fällt mir schwer, hier zu sein und all dies zu sagen. Ich habe als Kind dem General Guisan die Hand gedrückt – 1940 in Luzern. Ich mag zum Beispiel alte verrauchte Beizen, in denen der General noch an der Wand hängt. Ich denke dabei nicht an Militär und Armee, nicht einmal an den General – er ist für mich nur ein Requisit verrauchter Beizen, die ich mag. Ich fühle, wenn ich über diese Sache nachdenken muß, wie konservativ ich selbst bin.

Und ich erinnere mich, wie mein Vater 1939 einrückte – ein richtiger Soldat.

Später habe ich ihn mal besucht mit meiner Mutter. Er tat in der Nähe Dienst und war auf Sonntagswache. Wir durften nur auf vier Meter an ihn heran. Ich durfte ihn nicht berühren, nicht streicheln. Und er mich auch nicht. Das war ganz schrecklich für den Fünfjährigen, das war brutal, unmenschlich. Die Armee kann keine Rücksicht nehmen auf Gefühle, sie ist unmenschlich, sie ist tödlich, sie nimmt einem die Väter und macht sie hart.

Als die Russen kürzlich erklärten, sie würden alle chemischen Waffen vernichten, da beeilten sich Bern und die Schweiz zu erklären, daß jede Hoffnung darauf gefährlich sei, denn es bleibe ein Restrisiko.

(Restrisiko ist ein Wort der Atomenergie-Propagierer. Einmal ist man bereit, es in Kauf zu nehmen, ein anderes Mal nicht – bei der totalen Tödlichkeit nimmt man es in Kauf.)

Und wo auch immer Abrüstung versucht wird, die Schweiz schreit immer als erste auf. Man fürchtet sich bei uns viel mehr vor einer möglichen Unbrauchbarkeit der Armee als vor einem Krieg.

Unsere Armee ist eine Friedensarmee. Sie hat ihre politische und gesellschaftliche Funktion im Frieden. Weltweite Abrüstung könnte diese Funktion gefährden. Sie wird nicht abgeschafft werden. Aber es gibt – auch ohne uns – eine schweizerische Urangst davor, daß man sie nicht mehr begründen könnte.

Eine friedliche Welt ist für viele gar nicht so wünschenswert, wie sie behaupten müssen. Krieg ja, um Gotteswillen ja – aber nicht hier, heißt die Parole. Wir Schweizer leben dauernd im Krieg – er ist nur abwesend.

Mir fällt dazu nichts ein, fast gar nichts. Ich fürchte, daß nicht nur die sogenannten anderen unfähig sind, darüber zu diskutieren. Ich selbst bin es auch.

Aber ich möchte gesagt haben, wie Ennio Flaiano gesagt haben möchte:

»Als ich jung war, wurde ich eines Tages einberufen, um meinen Militärdienst zu leisten, aber ich verweigerte ihn aus Gewissensgründen. Man sagte mir, es handle sich nicht darum, in den Krieg zu gehen, sondern nur darum, zwei Jahre lang täglich einige einfache militärische Übungen auszuführen, die meinen Körper stärken und meinen Charakter bilden würden. – ›Meine Herren‹, erwiderte ich, ›die Funktion entwickelt das Organ. Ich werde Ihrem Aufruf Folge leisten, doch nach zwei Jahren einfacher militärischer Übungen müssen Sie mir gestatten, einen Menschen zu töten, eine Alte zu erstechen, ein Mädchen zu schänden, eine Bibliothek in Brand zu stecken und eine Kirche auszurauben.‹«

Ich möchte mir eine Schweiz ohne Armee vorstellen können, in Wirklichkeit vorstellen können oder auch nur als Utopie vorstellen können.

Ich kann es mir nicht vorstellen – weil die andern, die andern, die Leute, das Volk, das Publikum...

Also noch einmal Ennio Flaiano:

»Kollektivnamen dienen dazu, Verwirrung zu stiften. ›Volk, Publikum...‹ Eines schönen Tages merkst du, daß wir es sind, obwohl du glaubtest, es seien die andern.«

Bemerkungen zu einer Literatur,
die Schweizer Literatur genannt wird

»Der Freihandel der Begriffe und Gefühle steigert ebenso wie der Verkehr mit Produkten und Bodenerzeugnissen den Reichtum und das allgemeine Wohlsein der Menschheit«, erklärte Goethe seinem polnischen Übersetzer, und er wählte sicher mit voller Absicht das Wort »Menschheit«, wo wir eigentlich das Wort »Nationen«, »Völker« oder »Länder« erwarten würden – der Handel, der das Wohlsein der Länder, der Nationen fördert. Wir würden es heute wohl immer noch so ausdrücken, wenn wir von Handelsbeziehungen sprechen würden.

Goethe gilt – wohl zu Recht – als der Schöpfer des Begriffs Weltliteratur, und er meinte damit nichts anderes als eine Literatur, die die nationalen Grenzen überwindet oder, wenn möglich, gar die Nation selbst. Wir sind es zwar gewöhnt, Goethe als apolitisch zu verstehen, weil wir seine Bedenken gegenüber der Französischen Revolution nie begreifen konnten. »Eckermann«, sagte er, und ich zitiere ungenau und aus dem Gedächtnis, »Sie werden es erleben, wir werden jetzt Nationen haben«.

Aus der Sicht der jüngsten Politik – Zusammenbruch der Mauer, Zusammenbruch der Sowjetunion, Auseinanderbrechen von ganzen Ländern – ist vielleicht der antinationale Goethe wieder politisch verständlich. »Ich hasse alles Deutsche«, sagte er, und er hatte im Alter eine fast körperliche Abneigung gegen deutsche Gotik, die er als Jüngling noch am Beispiel des Straßburger Münsters feierte.

Trotz allem, es ist ihm nicht erspart geblieben, ein deutscher Dichter zu werden, oder gar »*der* deutsche Dichter«.

Er selbst sprach zwar in seinen Aufsätzen von der Literatur der Italiener, der Engländer, der Schotten – aber seine Forderung von einer übernationalen Literatur führte schnell zu einer Nationalisierung der Literatur: die amerikanische Literatur, die österreichische, die DDR-Literatur –, und daß wir dann ausnahmsweise von einer afrikanischen Literatur und von einer südamerikanischen sprechen, hat wohl mehr mit mangelnden Geographiekenntnissen als mit großzügigem Denken zu tun.

So heißen denn die Schriftsteller in dem Land, wo ich wohne, Schweizer Schriftsteller, und das Wort »Schriftsteller« ohne die Einengung »Schweizer« ist bei uns selten. In der Regel kommt denn auch das Wort »jung« hinzu, unabhängig vom Alter – ein junger Schweizer Autor.

So hat zum Beispiel Werner Weber, als er anläßlich des Zürcher Literaturstreits den Germanisten Emil Staiger verteidigte, geschrieben, daß ein junger Schweizer Autor (Max Frisch) einen alten Professor von internationalem Ruf (Emil Staiger) angegriffen habe. Der junge Autor hatte Jahrgang 1911, der alte Professor Jahrgang 1910.

Ich habe auch einmal in Zürich ein Plakat gesehen,

auf dem stand: »Es liest der Schweizer Schriftsteller Max Frisch.« Ein Plakat in Deutschland: »Es liest der deutsche Autor Günter Grass« wäre wohl undenkbar, und Arthur Miller heißt in Amerika »Arthur Miller« und gewiß nicht »the American writer Arthur Miller«.

Mir scheint, nirgends werden Autoren so selbstverständlich nationalisiert wie in der Schweiz. Das muß seine Gründe haben. Als Dieter Bachmann mit dem sterbenden Max Frisch eine Frisch-Nummer der Zeitschrift *du* besprach, sagte Frisch immer wieder: »Und eine Sache ist wichtig – macht mich nicht zum Schweizer.«

Dabei wäre ausgerechnet die Schweiz das beste Beispiel dafür, daß es keine nationalen Literaturen geben kann. Der Unterschied zwischen der Literatur in der französischen Schweiz und der deutschen Schweiz ist mindestens so groß wie der Unterschied zwischen der Literatur der Franzosen und der Literatur der Deutschen, und es sind nicht die geringsten gemeinsamen Eigenschaften feststellbar, nicht einmal in den Themen. Ähnliches wäre von der italienisch geschriebenen Literatur der Tessiner zu sagen. Viele Versuche, Gemeinsamkeiten zu diskutieren, scheiterten und wurden immer wieder zu großen gegenseitigen Mißverständnissen.

Und der wohl perfideste Unterschied ist der, daß die Deutschschweizer Autoren so sehr darauf beharren, an ihrem Vaterland zu leiden – siehe Max Frisch, der sich wohl doch durch sein vehementes politisches Engagement zum Schweizer machte.

Einem Intellektuellen aus der französischen Schweiz

ist das überhaupt kein Problem. Wenn er Erfolg hat, geht er nach Paris und ist Franzose, wie zum Beispiel der Filmer Godard oder der Schriftsteller Blaise Cendrars, der sich sogar einen französischen Geburtsort erfand und seine Schweizer Herkunft verleugnete.

Literarisch gibt es wohl für beide – Deutschschweizer und Romands – die große Schwester. Die große Schwester »Französische Literatur« und die große Schwester »Bundesdeutsche Literatur«, wobei die französische eine stolze und selbstgefällige ist, eine zentralistische auch – sie findet in Paris statt –, die bundesdeutsche aber eine unsichere, verunsicherte und eigenartigerweise keine zentralistische; sie findet weder in Berlin noch in München statt, sondern überall, und sie kam immer wieder von den Rändern, aus Schwaben, aus Hessen, aus Franken und aus Prag – warum also nicht auch aus der Schweiz.

Das führt dazu, daß der Schriftsteller in der französischen Schweiz seiner französischen Literatur viel mehr verbunden ist – Paris ist seine literarische Hauptstadt –, aber es führt auch dazu, daß der Romand diesem Paris nur eine provinzielle Literatur liefern kann – nach der Pariser Meinung –, und die ist in Paris nicht besonders hoch angesehen. Er hat also eine weit kleinere Chance, in Frankreich Anerkennung zu finden, als ein Autor der deutschen Schweiz in Deutschland. Es kann sogar so sein, daß ein junger Schweizer Autor eine weit größere Chance hat, einen Verlag in Deutschland zu finden, als ein entsprechender junger deutscher Autor. Das Label »Schweizer« gibt ihm den Hauch des Exotischen in einem Land – Deutschland –, das immer wieder große Bedenken gegenüber der eigenen Kultur und eine sehr große Neigung zum Exotischen hat. Wir Schweizer sind so etwas wie die naheliegendsten Exoten.

So bin ich halt dann in Deutschland ein Schweizer Autor. Das Eigenartige ist nur, daß ich auch in der Schweiz selbst konsequent als Schweizer Autor bezeichnet werde, und ich höre dabei einen leicht abwertenden Unterton, dasselbe Mißtrauen gegenüber der eigenen Kultur: Nicht ein Schriftsteller bin ich, sondern »nur« ein Schweizer Schriftsteller.

Als ich vor vielen Jahren meinen kleinen Sohn anschrie, weil er irgend etwas angestellt hatte, pflanzte er sich vor mir auf, strahlte mich überlegen an und sagte: »Du junger Schweizer Schriftsteller, du!« Meine Autorität war gebrochen, wohl für immer. Im gleichen Sinne hatte es Werner Weber damals gemeint, als er die Formel anläßlich des Zürcher Literaturstreits gegenüber Max Frisch gebrauchte.

Die Formel kann in der Schweiz auch noch etwas ganz anderes heißen, nämlich ein Schweizer, der Schriftsteller ist, der also fremdgegangen ist, in eine fremde Sprache gegangen ist, sich mit fremdem Gedankengut befaßt hat, ein Verräter an der Schweiz sozusagen und deshalb der Zusatz »Schweizer« – Schweizer Schriftsteller.

Das Hochdeutsche – oder richtig, die Hochsprache – ist für uns Schweizer keineswegs eine Fremdsprache. Ihr schriftlicher Gebrauch ist selbstverständlich, aber es bleibt eine fremde Sprache, die Sprache der Fremden, und keine andere Sprache klingt dem Schweizer so fremd in den Ohren. Ausgerechnet die einzige etwas fremde Sprache, die er kann, mag er nicht. Das hat mit vergangener deutscher Politik fast nichts zu tun, sie war höchstens der Beweis für unser jahrhundertelanges Unbehagen. Als sich die übrigen Deutschsprechenden in der Zeit der Reformation aufmachten zu einer neuen und erneuerten Sprache, dem späteren Neuhochdeutschen, war die Schweiz ein unbedeutender bäurischer Agrarstaat, und sie war bildungsfeindlich. Wer Bildung wollte, hatte sich diese im Ausland zu holen, in Deutschland, in Italien, in Frankreich. Kam er nun zurück in die Schweiz, war er einer mit ausländischen Ideen. Selbst die nächste Universität – Basel – lag damals noch im Ausland.

Das Wort Intellektueller ist in der Schweiz im doppelten Sinne abschätzig: erstens so wie überall und zweitens im Sinne von Fremdling. Der totale Haß bürgerlicher Kreise auf Max Frisch – ich habe einmal in einem staatlichen geheimen Papier die Formel »Max Frisch, Staatsfeind Nummer eins« gesehen – war der Versuch, sein politisches Engagement mit dem Hinweis auf die Fremdheit zu denunzieren.

Dazu ein anderes Beispiel: Als 1980 die Zürcher Unruhen mit dem sogenannten Opernhauskrawall ausbrachen, las man am anderen Tag in allen Schweizer Zeitungen, daß in Zürich sehr viele Autobusse mit deutschen Nummernschildern gesehen wurden – also daß das alles nur deutsche Jugendliche gewesen sein sollen, die ein paar Schweizer Intellektuelle unterstützten.

Bewegung, Erneuerung, Opposition und Alterna-

tive waren in der Schweiz – auch im positiven Sinn –
immer ausländisch. Viele der Väter unserer Verfassung
von 1848 – zum großen Teil der amerikanischen Verfassung abgeschrieben – waren deutsche liberale Flüchtlinge. 1848 war der Sieg einer sehr kleinen Minderheit
über eine mächtige konservative Mehrheit.

Wir haben im Augenblick in der Schweiz wieder
darunter zu leiden, daß ein Ausland moderner ist als
wir: Ich meine die europäische Integration. Ich bin absolut sicher, daß wir sie nie aus eigener Kraft schaffen.
Wir werden entweder nicht mitmachen oder vom Ausland dazu gezwungen werden. So ist zum Beispiel auch
unsere Neutralität keineswegs eine Schweizer Erfindung, sondern ein Diktat von Metternich und dem
Wiener Kongreß, das die Schweizer gar nicht mochten;
und der private Genfer Unterhändler – ein großer
Staatsmann –, dem es gelang, die Integrität der Schweiz
in Wien mit dem Angebot der Neutralität zu retten, fiel
in der Schweiz in Ungnade. Sein Name, Pictet de Rochemont, ist unbekannt und wird nicht erwähnt. Die
undemokratische Vorgeschichte der Schweiz ist den
Schweizern lieber als die Geschichte ihres demokratischen Staates, wie die 700-Jahrfeier bewies. Wir loben
zwar inzwischen unsere demokratischen Einrichtungen, die Bedenken aber gegen die Fremdlinge – gegen
die Intellektuellen – von 1848 sind geblieben.

Immerhin, die damalige Bildungsfeindlichkeit hatte
doch durch Zufall eine gute und eine bildungsfreundliche Folge. Holland zum Beispiel befand sich in der
Reformation in derselben sprachlichen Situation wie
die Schweiz, aber am anderen Ende des Sprachraums,

dem Niederdeutschen. Die Holländer hatten Schulen und Universitäten und waren nicht bildungsfeindlich, ihre eigene kleine Sprache wurde zur schriftlichen Landessprache. Unsere Mundart fand durch Bildungsfeindlichkeit keine eigene Schrift, wurde nicht zur schriftlichen Landessprache der deutschen Schweiz, was die gute Folge hatte, daß wir uns vom großen Sprachraum des Deutschen nicht abkoppelten. Wir gehören so, ohne daß wir eine eigentliche Fremdsprache lernen müssen, zur Welt. Wir profitieren von unserer kleinen Abgeschlossenheit und unserer sprachlichen Öffnung zugleich.

Und trotzdem: Keine Sprache wird in der Schweiz weniger gern gehört als die der richtigen Deutschen. Und jeder Deutschschweizer benützt sie ganz selbstverständlich schriftlich – das Schriftdeutsche, wie wir sagen. Man schaut auch deutsches Fernsehen in der Schweiz, ohne sich auch nur ein bißchen in der Sprache fremd zu fühlen. Nur im Original – im alltäglichen Original – mögen wir das Schriftdeutsche nicht. Schriftsteller stehen im Verdacht, daß sie selbst zu dem – zum alltäglichen mündlichen Hochdeutsch-Sprechen – fähig wären. Und in diesem Zusammenhang fällt mir etwas ein. Es gab neben dem von den Bürgern gehaßten Max Frisch einen anderen, von den Bürgern durchaus geliebten Autor: Friedrich Dürrenmatt.

Auf die unseligen Paarungen, die von der Literaturgeschichte so sehr gefördert werden, möchte ich nicht eingehen: Schiller und Goethe, Racine und Corneille, Tolstoi und Dostojewski, Washington Irving und Hawthorne, Jeremias Gotthelf und Gottfried Keller, und eben Frisch und Dürrenmatt. Es sind unselige und zufällige Paarungen, die nur mit Erfolg und nichts mit Inhalten zu tun haben. Und Paarungen haben auch die Absicht der Verharmlosung: Man paart den revolutionsfreudigen Schiller mit dem bürgerlichen Goethe, und als Paar sind sie gebändigt, etwa so wie der Staat daran interessiert ist, daß Menschen heiraten. Aus der Vielfalt wird Einfalt, und nachdem es so offensichtlich und immer wieder geschieht, scheint das doch einer der Aufträge an die Literaturhistorik, an die Germanistik zu sein, aus der Vielfalt die harmlose Einfalt herzustellen. Die Formel »Frisch und Dürrenmatt« wurde übrigens erstmals von einem sehr konservativen Germanisten aufgenommen, der sich vor linkem Engagement sehr fürchtete.

Die Paarung »Frisch-Dürrenmatt« war für beide eine schmerzvolle. Frisch sagte einmal: »Es bleibt uns nichts anderes übrig, als Freunde zu sein.« Das sagte er, als sie sich noch ab und zu trafen, aber es endete in gehässiger Feindschaft. Sie hatten sich wohl, weil sie doch beide Schweizer waren, gegenseitig in Verdacht, nicht »politically correct« zu sein, wie das inzwischen heißt, ein Begriff, den es im Deutschen jetzt auch gibt und dessen Inhalt die Schweizer durchaus kennen. Aber nun zu Dürrenmatt – im Unterschied zum »Staatsfeind« Frisch: Dürrenmatt war wesentlich respektloser als Frisch, ohne jeden Glauben an eine schweizerische politische Wirklichkeit, er spielte den politischen Clown, schockierte, wo er auch nur konnte, und nahm die Rolle des Hofnarren an – und zwar perfekt. Er distanzierte sich nicht von der Regierung, ließ sich zu offiziellen

Einladungen einladen, und die Einladenden gingen mit
ihm jederzeit ein hohes Risiko ein.

So nimmt zum Beispiel die Bernische Regierung
schon seit Jahren nicht mehr an der Verleihung des Berner Literaturpreises teil, weil sie vor dreißig Jahren
durch Dürrenmatt schockiert wurde. Er hatte damals
seinen Preis an eine Rockergruppe weitergegeben und
einen Skandal ausgelöst.

Dürrenmatt hat sich konsequent gegenüber dem
Staat Schweiz respektlos aufgeführt. Er war kein Liberaler, kein Sozialist, kein Weltverbesserer, und er be-
gegnete der politischen Welt mit Zynismus. Das war
denn auch die Chance dieser politischen Welt, sie nahm
diesen Dürrenmatt als Künstler, als Hofnarren, und
wenn er persönlich auch der Grund war, daß die Berner
Regierung literarischen Preisverleihungen fernblieb, so
war das für sie noch lange kein Grund, ihn selbst nicht
immer wieder einzuladen.

Als Vaclav Havel einen Preis in Zürich erhielt, hielt
Dürrenmatt die Rede – eine fantastische Rede, vielleicht das Gescheiteste, was je über die Schweiz gesagt
wurde, und das Böseste auch. Er verglich die Schweiz
mit einem Gefängnis, in dem niemand weiß, ob er ein
Gefangener ist oder ein Wächter. Der anwesende Bun-
despräsident weigerte sich, ihn zu grüßen, aber drei
Monate später sprach der nachfolgende Bundespräsi-
dent an seiner Totenfeier.

Der Skandal blieb so oder so aus: Die Rede wurde
verschwiegen. Hätte Frisch so gesprochen, es hätte
einen nationalen Aufschrei gegeben; die Industriekapi-
täne, Bankdirektoren und Generäle – die sind in der

Schweiz mitunter personell identisch – hätten den Notstand ausgerufen, weil sie wußten, daß Frisch bereit war, sich ernsthaft einzumischen. Immerhin, hätte Dürrenmatt seine Havel-Rede länger überlebt, ich weiß nicht...

Und daß es eine Rede an Havel war – er lobte Havel durchaus, wie das der Brauch ist –, war wohl kein Zufall. Ich weiß nicht, ob Havel einen Ehrendoktor der City University hat oder einen von Harvard oder Yale, aber er hat bereits Dutzende. Denn es ist doch schön, daß man literarische Ehrungen an Staatspräsidenten verleihen kann – also an solche, die mitmachen –, auch wenn sie vorher solche waren, die nicht mitmachten, Dissidenten waren. Wo waren die Ehrendoktorate und Literaturpreise für Havel, als er noch Schriftsteller war? Da war er ihnen wohl dann doch vielleicht als Schrifsteller zu wenig gut.

Nein, ich spreche nicht über den tschechoslowakischen Staatspräsidenten. Ich spreche immer noch über die Situation der Literatur in der Schweiz, die ihre Literatur penetrant konsequent Schweizer Literatur nennt. Die Nationalisierung der Literatur ist wohl nicht ausschließlich ein schweizerisches Problem, sie wird nur in der Schweiz besonders naiv betrieben und sichtbar gemacht.

Denn welche Nation auch beschrieben wird, sie findet sich falsch beschrieben und ist stets auf der Suche nach jenem, der es richtig tun könnte. So mag es Dutzende von amerikanischen Germanisten geben, die Davos nur kennen, weil es der Ort von Thomas Manns *Zauberberg* ist; die Davos auch deshalb besuchen werden und ihre Dollars dort liegenlassen dafür. Aber Thomas Mann hat dort kein Denkmal und wird wohl nie eines kriegen – hoffentlich.

Aber noch einmal zurück zu Dürrenmatt: Er war auch sozusagen der undeutscheste Schweizer Autor überhaupt, hatte nicht die geringste Sympathie für eine deutsche Kultur, bemühte sich nicht im geringsten um einen einigermaßen hochdeutschen Akzent. Er war sozusagen der Autor, der nicht fremdging und trotzdem eine große Reputation in der Fremde hatte – im Ausland, das im Mittelhochdeutschen noch Elend hieß.

Aber noch einmal: Kaum einer hat Böseres gesagt über die Schweiz als Dürrenmatt; kaum einer hat sie so lächerlich gemacht; das heißt, Inhalte spielen für die Öffentlichkeit keine Rolle, sondern nur Haltungen, und die Haltung des politisch ernsten und seriösen Max Frisch war bekannt.

Trotzdem, die Paarung »Dürrenmatt und Frisch« war unvermeidlich, lächerlich und schmerzhaft für beide – »es bleibt uns nichts anderes übrig, als Freunde zu sein«; sie mußten sich gegenseitig hassen für ihr Verhältnis zur Schweiz.

Zwei andere Schweizer hatten das Glück, nicht zur selben Zeit – nur kurz hintereinander – Schriftsteller sein zu müssen: Jeremias Gotthelf und Gottfried Keller. Sie waren die Paarung, die ich als Schüler zu lernen hatte, denn Dürrenmatt und Frisch galten unseren Lehrern noch nichts.

Ich weiß, daß ich mich lächerlich mache, wenn ich behaupte, daß Jeremias Gotthelf einer der wenigen großen Romanciers der Moderne ist – sehr wahrscheinlich gar ihr erster Romancier, in seiner literarischen Technik seiner Zeit weit voraus. Ich mache mich damit lächerlich, weil es Deutschen nicht mehr zu beweisen ist. Verlegt wurde er im frühen 19. Jahrhundert von Gotha, gelesen wurde er fast nur in Deutschland, in einem Deutschland, das neben der Schriftsprache noch seine Mundarten hatte und von den Mundartlichkeiten bei Gotthelf nicht gestört war. Heute aber sind die Romane von Gotthelf für Nichtschweizer leider unzumutbar.

Gotthelf bekämpfte die liberale Revolution in der Schweiz, war durch und durch ein Konservativer, hielt treu zur Regierung des alten Bern und beschrieb die Schweiz der Emmentaler Bauern trotzdem mit Spott, Sarkasmus und Ironie – siehe Dürrenmatt –, und erst volkstümliche Verballhornungen in Hörspielserien und Volkstheatern machten aus ihm den Heimatautor, der er nie war.

Gottfried Keller war erst im Alter bereit, ihn als großen Autor zu loben – erst als der feurige liberale Revolutionär Keller bitter enttäuscht war über den pervertierten Kapitalliberalismus des späteren 19. Jahrhunderts: nachzulesen in einem der wirklich großen Bücher über die Schweiz, *Martin Salander* von Gottfried Keller, die Geschichte eines zurückkehrenden Amerika-Auswanderers übrigens, der in der Schweiz einen total verrotteten Liberalismus antrifft. Die Germanistik hielt das Buch bis in unser Jahrhundert hinein für mißlungen – ein seniles Alterswerk –, ihrem germanistischen Auftrag treu, Literatur nach ihrer nationalen Relevanz zu examinieren und zu nationalisieren.

Dabei hat sich kein anderer so sehr mit Schweizer Politik eingelassen wie Keller. Sein vehementes Engagement für die liberale Revolution versuchte er als praktischer Politiker fortzusetzen und wurde Staatsschreiber des Kantons Zürich – keineswegs ein Ehrenamt, sondern eines der höchsten Ämter im Staat, zu dem er auch vom Volk gewählt wurde. Der Staatsschreiber führt die Kanzlei der Regierung, führt alle Protokolle und ist verantwortlich für die Vorbereitung aller Regierungsgeschäfte. Er führte sein Amt auch nicht ohne persönlichen politischen Ehrgeiz und litt sehr darunter, daß er nicht zum Regierungsrat gewählt wurde, also zum ordentlichen Regierungsmitglied. Er war, nebenbei bemerkt, der einzige Zürcher Staatsschreiber bis weit in unser Jahrhundert hinein, der nicht fast automatisch zum Regierungsrat wurde; selbst sein gutbürgerliches Mitmachen wischte die Bedenken gegenüber einem schreibenden Schweizer nicht weg. Und daß es wohl in der Geschichte der Schweiz nur einmal geschah – und wie berichtet wird, zu seinem Ärger –, daß die Gesamtregierung zu einem privaten Geburtstag reiste, zu seinem siebzigsten auf dem Rigi, ist vergleichbar mit den Ehrungen Havels: Verharmlosung durch Vereinnahmung. Eine Vereinnahmung allerdings, an der Keller durch seinen Eintritt in den politischen Karrierewettbewerb durchaus beteiligt war. Jener Gottfried Keller übrigens, der sich als Maler und Bohemien dieser Schweiz entzog, sozusagen für immer nach München reiste, und der sein wunderbares Buch über seine Zürcher Jugend, *Der grüne Heinrich*, nicht in Zürich, sondern in Berlin schrieb –

wiederum im Exil, wiederum eigentlich für immer im Exil.

Zurückgekehrt nach Zürich war es ihm wichtig, sich politisch nützlich zu machen.

Das wäre eine eigenartige Geschichte, wäre sie eine Ausnahme. Aber sie ist die Regel.

Wenn es in der Literatur der deutschen Schweiz eine Gemeinsamkeit gibt, dann ist es ihr konsequentes politisches Engagement. Von Ulrich Bräker, dem armen Mann im Tockenburg, bis in die Gegenwart gibt es keinen bekannten Deutschschweizer Autor, der nicht sein Interesse an der Politik gehabt hätte, der nicht seine Schwierigkeiten mit dieser Politik bekommen und sich oft fast verzweifelt in der Opposition engagiert hätte.

Dies wiederum im Unterschied zur französischen Literatur der Schweiz. Entweder engagierte man sich dort konservativ für den Staat – Gonzague de Reynold zum Beispiel –, oder man kümmerte sich überhaupt nicht um ihn. Die Gründe dafür müssen in der verschiedenen sprachlichen Situation liegen; es würde zu weit führen, und ich verstehe zu wenig davon, um weiter darauf einzugehen. Immerhin sei noch mal darauf hingewiesen, daß die Schweiz ein hervorragendes Beispiel dafür ist, daß es keine nationalen Literaturen gibt, denn selbst in der sehr kleinen Schweiz produzieren zwei verschiedene Sprachen zwei total verschiedene Literaturen mit total verschiedenen Themen und Inhalten. In einer zweisprachigen DDR – davon bin ich überzeugt – hätte sich das genau gleich verhalten; die Bezeichnung »DDR-Literatur« meinte nichts anderes als politischer Nervenkitzel. Eine DDR-Literatur existierte von einem Tag auf den anderen nicht mehr, als die Mauer fiel, und die westdeutsche Literaturkritik ist sehr genüßlich über sie hergefallen – der Nervenkitzel war weg. Und was man zwei Jahre zuvor noch als mutige Opposition gefeiert hatte, heißt nun korruptes Mitmachen. Ich finde das zum Kotzen, und ich kann der Literaturhistorik den Vorwurf nicht ersparen, mit ihrer Vorstellung von nationalen Literaturen wesentlich daran beteiligt zu sein.

Hätten Leute wie Erwin Strittmatter, Franz Fühmann, Günter de Bruyn, Anna Seghers oder Christa Wolf in ihren Büchern die Situation der DDR beschrieben – sozusagen exotische Reiseberichte –, mich hätten sie nicht interessiert. Sie haben wie alle großen Autoren Dinge geschrieben, die mich angehen, mein persönliches Erleben betreffen, meine menschlichen Sorgen und auch meine Schwierigkeiten mit einem Staat. Sie haben es aus einer anderen Situation heraus geschrieben, aber sie haben keine exotischen Reiseberichte geschrieben. Als solche wurden sie aber dann international von den Verlegern angeboten.

Oder als Vergleich: Wer glaubt, die Romane von Joseph Conrad seien Seefahrerromane, der wird wohl schnell seine Mühe damit bekommen. In Wirklichkeit beschreibt auch er nichts anderes als uns, meinen Nachbarn und mich.

Das war ein langer Umweg, verzeihen Sie mir. Zurückgekehrt nach Zürich war es Gottfried Keller wichtig, sich politisch nützlich zu machen. Ich meine damit, daß der Zwang, sich politisch zu engagieren, mit der grundsätzlichen Ablehnung der Schriftsteller in diesem Land Schweiz zu tun hat. Die intellektuellen »Fremdlinge« wollen mit politischem Engagement ihr Dazugehören demonstrieren. Daß es zum vornherein ein trotziges Engagement ist, hat dieselben Gründe. Wiederum: Siehe als Gegenbeweis die französische Literatur der Schweiz. Dort gibt es diese Ablehnung der eigenen Autoren nicht, und es gibt sogar Autoren, die sich ausschließlich in der Schweiz einen Namen gemacht haben.

In der deutschen Schweiz existierte in den letzten dreihundert Jahren kein einziger Autor, der sich in der Schweiz allein einen Namen gemacht hätte. Die Deutschschweizer lesen keinen eigenen Autor, bevor er sich nicht im Ausland einen Namen gemacht hätte.

Die Schweizer – im nicht zugestandenen Bewußtsein, keine eigene Kultur zu haben – lesen ausschließlich literarische Importprodukte. Ein Schweizer Autor hat seine Produkte erst zu exportieren – das heißt, er braucht seinen deutschen Erfolg – und dann wieder zu importieren.

So gab es meiner Meinung nach in den zwanziger Jahren einen großen Schweizer Autor, Paul Ilg, von dem niemand spricht. Eine Renaissance für ihn lohnt sich kaum, aber wäre ihm der Export gelungen, er wäre zum mindesten ein Teil unserer Schweizer Literaturgeschichte, die es eigentlich gar nicht gibt, weil sie »Die Geschichte der im Ausland erfolgreichen Schweizer Literatur« heißen müßte.

Eine Deutschschweizer Literatur existiert aber auch in einem anderen Sinne nicht. Wer in der Schweiz schreibt, hat darauf zu achten, in Deutschland verstanden zu werden – dies nicht nur sprachlich, sondern auch gedanklich.

So gibt es denn wenig Autoren, die mir beim Lesen im Ausland ein bißchen Heimweh machen. Eigenartigerweise gehört Gottfried Keller dazu, der in fast überperfekter Hochsprache schrieb, aber gedanklich wenig Rücksicht nahm; oder Friedrich Glauser, der wohl einen der größten Schweizer Romane in diesem Jahrhundert geschrieben hat, *Gourrama*. Er hatte in der Schweiz zwar immer einen kleinen Namen als Autor verfilmter Kriminalromane; doch niemand dachte daran, daß er ein ernsthafter Schriftsteller sein könnte. Er hatte keine Exportchance, er war zu schweizerisch, in der bösartigen Beschreibung schweizerischer Idylle den Schweizern nicht genehm und den Deutschen wenig verständlich. Die bösartige Idylle wurde dann in den Verfilmungen mit Heinrich Gretler zu einer gemütlichen.

Inzwischen hat Friedrich Glauser eine Renaissance. Er hat sie erst, seit sich verschiedene deutsche Literaturhistoriker um ihn kümmern. Das hatten vorher schweizerische, Hugo Leber zum Beispiel, erfolglos versucht.

Ein wohl sehr schweizerischer Autor auch war Albin Zollinger. Immer wieder erwähnt von Max Frisch als Lehrer und Vorbild, was niemanden in der Schweiz dazu angeregt hätte, Zollinger zu lesen, und meines Wissens hat sich auch nie ein Germanist mit dem Einfluß Zollingers auf Frisch befaßt: Ein Erfolgloser hat einen Erfolgreichen nicht zu beeinflussen. Zudem war

Zollinger eben auch kein Schweizer Autor, weil man diesen eigenartigen Titel nur als Literaturexporteur bekommt.

Und dann wäre hier noch die eigenartige Ausnahme Robert Walser, fast durch und durch schweizerisch, oft naiv bieder, idyllisch – ironisch ja, aber wo und wann? Keineswegs ein erfolgloser Autor in seiner Jugend; angesehen in versnobten Berliner Kreisen; verehrt von zeitgenössischen Autoren und verlegt, wie hundert Jahre vorher Jeremias Gotthelf, trotz seiner helvetischen Sprache mit wunderbaren schriftdeutschen Fehlleistungen oder Trotzleistungen, in Deutschland – bei Cassirer. Ihm gelang es, aus dem vertrackten Verhältnis Schweizerdeutsch/Hochdeutsch so etwas wie eine schlaumeierliche Kunstsprache zu entwickeln. Entdeckt wurde er nicht von Schweizern, denn die Schweizer brauchen keine Sprache, sondern vor allem von Christian Morgenstern, der sein Lektor war und der ein wunderbarer Lektor gewesen sein muß. Ich wünschte mir einen Lektor, der mir so viele sprachliche Trotzigkeiten durchläßt.

Als Beispiel: Walser schrieb konsequent »der Schneeflock« an Stelle von »die Schneeflocke«. Nun könnte man annehmen – und Morgenstern wird es angenommen haben –, daß das eben schweizerisch sei. Es ist es überhaupt nicht, es gibt keine schweizerische Mundart, in der die Schneeflocke männlich wäre.

Als aber Walser in Deutschland sehr bald vergessen war, war er es auch in der Schweiz. Zwar hatte er immer einen kleinen, verschworenen Kreis von Lesern, auch von Propagandisten. Aber auch beim schweizerischsten aller Autoren war die Renaissance erst möglich, als er von Deutschen wiederentdeckt wurde.

Und wenn wir das pathetische Wort »hervorbringen« anwenden wollen, dann darf man wohl sagen, daß die Schweiz keinen einzigen Autor hervorgebracht hat. Die haben alle nur da gelebt – zum Ärger ihrer Nachbarn.

Nun haben – als Beispiel noch einmal – die Autoren der DDR, die wir kennen, auch oft zum Ärger der Machthabenden gelebt. Der Unterschied ist nur, die DDR wollte eine Literatur, nur eben nicht eine solche. Die Schweiz wollte eigentlich nie eine.

Sie möchte nur gegenüber dem Ausland nicht ohne Literatur dastehen und unterstützt zum Beispiel Amerika-Reisende großzügig, wofür ich ihr sehr dankbar bin.

Die besten politischen Taten entstehen aus schlechtem Gewissen. Kein anderes Land wohl hatte in den letzten dreihundert Jahren ausschließlich trotzig engagierte Autoren. Man muß das Land kennen, um zu wissen, daß sie durch und durch erfolglos waren.

Immerhin, ein schlechtes Gewissen gibt es in diesem Land dank Ulrich Bräker, Jeremias Gotthelf, Albin Zollinger, Friedrich Glauser, Dürrenmatt und Frisch. Solange es noch ein Ausland gibt, werden sie die nicht loskriegen.

Oder als Alternative: Seit es keine DDR mehr gibt, gibt es keine DDR-Literatur mehr. Die Geschichte hat den entsprechenden Spezialisten – Germanisten in aller Welt – ein Schnippchen geschlagen. So hat denn auch Werner Weber, Germanist und Offizier der Schweizer

Armee, anläßlich des Zürcher Literaturstreits in seiner Verteidigung von Emil Staiger, Germanist und Offizier der Schweizer Armee, geschrieben, die zentrale Frage heiße, wie es die Schriftsteller mit der Landesverteidigung hielten.

Die Frage war von vornherein beantwortet.

Der heißgeliebte Ärger

Welche Seite auch immer in der Frage der europäischen Integration der Schweiz recht bekommt, eines ist sicher, die Unterlegenen werden hinterher recht bekommen.

Bleiben wir abseits, dann werden hinterher die ehemaligen Befürworter sagen können: Jetzt habt ihr den Dreck – und treten wir bei, dann werden hinterher die ehemaligen Gegner sagen: Wir haben es immer gesagt.

Das heißt nichts anderes als: Wir sind in dieser Frage – so oder so – ohne Chance. Und »ohne Chance« sein, das heißt nichts anderes als am Ende sein. Was wiederum nichts anderes heißt, als nicht mehr selbst bestimmen können.

Das ist keineswegs erstmalig in der Geschichte der Schweiz – wenn auch nicht aus ähnlichen Gründen. Der neue Staat Schweiz ist 1848 aus dem Verlust der Selbstbestimmung hervorgegangen, und einige der Väter oder Ahnen dieses Staates galten – und gelten bis heute – als Landesverräter: Der Basler Peter Ochs zum Beispiel, der mit den Mächtigen verhandelte, der Genfer Pictet de Rochemont, der aus eigener Initiative dem Wiener Kongreß die Neutralität der Schweiz abtrotzte, sehr zum Leidwesen der Schweizer, die inzwischen behaupten, wie stolz sie auf ihre Neutralität seien, auf Pictet de Rochemont sind sie heute noch nicht stolz. Das wird dann auch in der heutigen Frage die einzige

Parallele zu damals sein – die Sieger werden so oder so die Verlierer sein. Oder anders gesagt, es wird keine Sieger geben. Und das ist bitter für eine Schweiz, die aus allen Auseinandersetzungen der letzten 150 Jahre ohne Anstrengung als Sieger hervorgegangen ist.

Das Nichtentscheiden ist zu unserem Prinzip geworden; ein Prinzip, das erfolgreich war, und ein Prinzip auch, das mehr war als nur Faulheit. Zu den vielen Besonderheiten unseres Staates gehört auch die fast unglaubliche Besonderheit, daß wir ein Staat ohne Regierung sind. Unsere Bundesräte waren nie regierend, sie sind und waren nur die Repräsentanten einer recht gut funktionierenden Verwaltung. Wir sind nicht ein regierter Staat, wir sind ein verwalteter Staat. Auch das sei ohne jeden Zynismus festgestellt und mit Ehrfurcht: Eine direkte Demokratie kann nicht regiert werden, sie kann nur verwaltet werden.

Traurig ist, daß dies die Bürger in den letzten 150 Jahren nicht mitbekommen haben, weil unsere Medien unsere Politik immer noch als Regierungspolitik darstellen und so tun, als wäre es der Ogi, der Stich, der Cotti. Regierung wird bei uns auch durchaus dargestellt, nur hatte diese Darstellung mit der Realität nie etwas zu tun. Unser Staat war darauf angelegt, ohne Regierungsentscheide auszukommen, eine humane und idealistische Idee, die erstaunlich lange funktioniert hat, so lange nämlich, daß man getrost sagen könnte, daß es sich bewährt hat und nicht geändert werden müßte – außer, man möchte große politische Ideen durchsetzen. Ich bin sehr froh darüber, daß das den Schweizer Faschisten damals nicht gelang.

Aber wie und wo auch immer, der verwaltete Staat ist ein konservatives Prinzip. Zwar sprechen auch die Gegner – mit gutem Recht – vom monströsen Verwaltungsapparat in Brüssel, die eigentliche Angst ist aber nicht die Angst vor der Verwaltung, sondern die Angst davor, daß dieser Verwaltung eine Regierung vorsteht.

Das wird nicht nur die linken und die rechten Schweizer quälen, sondern alle. Das Vertrauen darauf – trotz anderer Erfahrungen –, daß unser politisches System total gut sei, einigt uns in einer Sache – kein anderes System anzuerkennen. Und es ist so, und das ist nicht zu ändern, die anderen Systeme sind anders. Wenn die Gegner mit Recht daran zweifeln, daß wir ein angemessenes Mitspracherecht ausüben könnten, dann zweifeln sie eigentlich nur daran – auch mit Recht –, daß wir die europäische Welt von unserer perfekten Ausnahme überzeugen könnten. Das werden wir nicht können. Wir sind zwar die Besten, aber das ist keine Voraussetzung zur Gemeinschaft. Wir werden die Besten allein sein müssen oder Mittelmäßige mit allen.

Ich selbst habe zwar in allem, was ich schrieb, daran gezweifelt, daß wir die Besten sind, und ich hatte dabei den Eindruck, mit dieser Meinung nicht allein zu sein. Es war nicht alles gut in dieser Schweiz, und wir haben Initiativen ergriffen – erfolglose, aber immerhin –, und wir haben politisiert, und die Schweiz wurde uns zum Thema.

Jetzt muß ich von meinen Freunden erfahren, daß wir die beste Umweltpolitik der Welt haben. Mir wäre es recht, wenn wir eine gute hätten. Und dann fällt mir doch auf, wie unsere Gesetze sehr sanft gehandhabt werden: Was bei uns 200 Franken Buße kostet, das ist in der Europäischen Gemeinschaft doch schon etwas teurer. Gesetze nützen nichts, wenn sie nicht durchgesetzt werden. Durchsetzen allerdings heißt wieder Verwaltung, und die mag ich nicht, das ist mein Dilemma, soll ich deshalb etwa gegen Umweltschutzgesetze sein? Die Angst der Schweizer vor Politik ist letztlich eine Entscheidung für die Verwaltung, und die Angst vor Verwaltung der Schweizer ist letztlich eine Angst vor Politik. Wenn die »Grünen« hier mit ihrer EWR-Feindschaft durchkommen, dann werden sie hinterher in einem Land leben, dem sie bestätigt haben, daß es das beste ist. Sie werden – davon bin ich überzeugt – nach ihrem Abstimmungssieg, der ohnehin nicht der ihre sein wird, auf diese Aussage verpflichtet werden.

Die Gegner von rechts und die Gegner von links glauben, daß sie nichts, absolut nichts gemeinsam haben. Sie haben aber etwas gemeinsam: den Patriotismus. Und es ist ein eigenartiges Phänomen, und ein immer wieder in der Geschichte wiederholtes, daß bei großen Entscheidungen, bei großen Krisen die Linke augenblicklich patriotisch wird.

Für die Rechte ist das selbstverständlich. Die alte Welt war ihr nützlich. Was aber verliert die Linke – immer wieder – mit dem Verlust einer alten Welt? Ein Thema, das Thema Schweiz zum Beispiel.

Damit haben wir gelebt, mit diesem Thema. Max Frisch hat uns Literaten mit dem »Stiller« gelehrt, daß diese Schweiz ein Thema sein könnte. Wo ist der Autor, der uns beibringen könnte, daß Europa ein Thema ist? Könnte nicht auch einer aus Amerika nach Europa zurückkommen und seine Identität bestreiten? Könnte nicht der jahrzehntelange heißgeliebte Ärger mit dieser Schweiz nach und nach zu einem heißgeliebten Ärger mit Europa werden? Muß dieses Europa nun plötzlich von Anfang an das sein, was die Schweiz nie wurde – ein total idealer Staat? Ist die Schweiz deshalb nun plötzlich das beste, weil wir unfähig waren, unsere Hoffnungen in das Versprechen Schweiz zu realisieren? Ziehen wir deshalb den Ärger Schweiz dem Ärger Europa vor?

Es schmerzt mich, dies feststellen zu müssen. Auch ich werde ein Thema verlieren, und meine Aufsätze dazu werden in zehn Jahren unverständlich sein. Soll ich nun wie die Rechten aus Eigennutz für die gute alte Schweiz kämpfen? Oder soll ich sagen: Europa ja, aber so nicht. Woher nehmen wir Schweizer das Recht, dieses Europa schulmeistern zu wollen, nachdem uns Europa nie interessiert hat. Wir gehörten nicht zu Europa, wir waren nie Europäer. Nun kommt diese verdammte Frage plötzlich auf uns zu, und nun rufen wir alle plötzlich: Europa ja, aber so nicht.

Der Nachteil einer europäischen Integration der Schweiz läßt sich in einem einzigen Satz zusammenfassen: Die Schweiz wird nicht mehr so sein, wie sie war.

Wie war sie denn? War sie grün? War sie sozial? Nein, aber sie war von uns allen herzlich geliebt, weil sie so bequem war und gleichzeitig ohne Folgen zu engagiertem Ärger Anlaß gab. Wir werden eine große Hoffnung verlieren – die Hoffnung, aus dieser Schweiz doch noch etwas zu machen, ihr demokratisches Versprechen doch noch einzulösen.

Bitte, warte auf uns, liebe Welt, wir sind mit unserem Land noch nicht ganz fertig! Und die Welt wird geduldig warten, bis sich das beste aller Länder endlich verbessert hat und zum unangefochtenen Modell wird, eine Art von geistigem Imperialismus: Die Welt hätte eigentlich der Schweiz beizutreten – mit eingeschränkten Rechten, selbstverständlich – und nicht wir, mit eingeschränkten Rechten, der Welt.

Wie auch immer, wir sind zu spät. Der Lauf der Welt ist an uns vorbeigegangen. Wer hätte das verhindern können in einem Land, das erfolgreich und mit Gründen keine Regierung hatte? Wir diskutieren jetzt nur noch über den Verlust unserer Selbstbestimmung. Und dabei wissen wir genau, daß dieser Verlust schon längst ein Faktum ist.

Tells klobige Hände

Die Schweiz, ein Staat ohne Geschichte?

Ich meine das in großem Ärger, aber beginnen wir ganz ruhig: Doch, selbstverständlich, dieses Land hat eine Geschichte. Sie heißt 1291, sie heißt Wilhelm Tell, sie heißt Morgarten und Sempach, und ob dieser Tell nun eine historische Figur war oder nicht, die Frage mag da und dort ein bißchen Nervenkitzel auslösen und da und dort heftigen Ärger. Es spielt keine Rolle, ob er gelebt hat, er ist und bleibt eine Legende, eigentlich die Legende der Schweiz – und er bleibt auch dieselbe Legende, wenn Max Frisch seinen »Tell für die Schule« schreibt – er bleibt die Legende, auch wenn Historiker mit guten Gründen an seiner realen Existenz zweifeln. Doch, dieses Land Schweiz hat eine Geschichte. Wir kennen sie zwar nicht alle so genau, aber wir wissen von ihr, wir wissen von ihrer Existenz.

Und das wissen wir nicht einfach nur, weil die Geschichte nun einmal so ist, sondern das wissen wir auch, weil sie hergestellt wurde – von Liberalen im frühen 19. Jahrhundert, die dem Staat, den sie gründen wollten, eine Herkunft und eine Geschichte geben wollten, mit der sich die Bürger (ohne Innen für einmal) identifizieren konnten. Man gab ihnen eine gemeinsame Geschichte.

Sie hätte – unter Umständen – auch anders aussehen

können. Denn über die Helden wurde in der helvetischen Gesellschaft diskutiert. Auch Winkelried stand
zur Diskussion, und die feurigen liberalen Aargauer
sollen unglücklich gewesen sein, daß nicht ihr Niklaus
Thut zu Ehren kam, wenn er auch in Sempach noch auf
der anderen Seite stand.

An Friedrich Schiller mit seinem Erfolgsstück kam
man aber nicht mehr vorbei. Im Gegenteil, man hatte
ihm dankbar zu sein, ein Deutscher machte mit seinem
Drama ein gutes Stück unserer Geschichte. Niemand
empörte sich darüber, daß er kein Schweizer war. Er
hatte der Schweiz eine Geschichte geschenkt – und
mehr noch, und wichtiger, eine Legende.

Sie war jetzt – 1830, 1848 – wichtig. Ohne Geschichte wäre aus den liberalen Revolutionen und aus
dem liberalen Staat nichts geworden. Die Geschichte
hatte einen Zweck zu erfüllen: Die Zofinger waren jetzt
auch sozusagen die Kinder Tells, und die Waadtländer
hatten es auch zu sein. Man stelle sich das unter heutigen kleinlichen nationalistischen Verhältnissen vor –
die Zofinger, die Waadtländer nahmen eine Geschichte
an, die nicht die ihre war. Denn die Geschichte, die Legende, hatte einen Zweck – den Zweck, einen modernen, liberalen, demokratischen Staat zu gründen. Daß
dies gelungen ist, grenzt an ein Wunder, und jenen, die
das bewerkstelligt haben, eine Verfassung geschaffen
haben, sie feurig und vehement durchgesetzt haben, sei
gedankt. Dank ihnen hat dieses Land überlebt, dank
ihnen ist dieses Land ein Staat geworden.

Dank wem?

Wir wissen es nicht, wir wollen es nicht wissen. Unser Staat Schweiz – 1848 gegründet – ist ohne Geschichte.

Da werden nun Historiker und Geschichtslehrer protestieren, denn selbstverständlich gibt es die Geschichte, und es gibt die Namen der Politiker – ein einziger unter ihnen, Pestalozzi, hat sich uns aus anderen Gründen eingeprägt –, die Geschichte ist erzählbar, ist erreichbar, wird gelehrt – aber sie ist nicht zur Legende geworden. Irgendwie gibt es eine schweizerische Scham gegenüber unserer Staatsgründung. Es gab damals Unterlegene, vielleicht sogar eine Mehrheit von Unterlegenen – die waren auf die neue Geschichte nicht zu verpflichten, und jene, die in Europa Freiheiten für die Schweiz und Souveränität für die Schweiz aushandelten – der Basler Peter Ochs zum Beispiel –, wurden als Verräter verfolgt. Selbst der Genfer Pictet de Rochemont, der sozusagen als Privatmann zum Wiener Kongreß reiste – als nicht einmal ganz offizieller Vertreter seines Staates Genf – und der dort zu Talleyrand und Metternich vordrang und sie von der notwendigen Neutralität der Eidgenossenschaft überzeugte und damit den Grundstein zum Überleben der Schweiz legte – selbst er wurde mit seinem Resultat nur von wenigen freudig begrüßt. Auch Neutralität galt vielen als Verrat.

Wir können gar keine Geschichte (Legende) der modernen Schweiz haben. Sie wurde uns (Ausnahme Pestalozzi) nicht erfunden. Denn Geschichte ist nicht nur die Existenz der Abläufe, sie muß auch gefunden und erfunden werden. So sind wir ein Staat ohne Geschichte. Wir kennen die Väter unseres Staates nicht – 1848 ist in unseren Köpfen nicht existent. 1848 hat

zwar stattgefunden, aber wir konnten uns auf die Geschichte von 1848 nicht einigen. Also ließen wir es.

Wir sind so ein Land ohne Tradition, denn Tradition
entsteht nicht nur – sie muß auch rückwärts geschaffen
werden. Traditionen sind auch Erfindungen – die lange
Tradition der Solothurner, der Basler, der Luzerner
Fasnacht ist keine wirkliche Tradition, sondern eine
Erfindung, und auf Grund dieser Erfindung empfinden
wir die Fasnacht als Tradition.

Auch die Schweiz ist ein Land mit Tradition, mit
einer Tradition aus dem 13./14. Jahrhundert, sogar be-
legbarer als die Fasnacht. Aber unsere Politik findet in
einem Staat aus dem 19. Jahrhundert statt. Unsere Par-
lamente und Regierungen arbeiten auch durchaus
(wenn auch mit Ausnahmen) mit dem Instrumentarium dieses modernen Staates. Das ist nicht so schlimm.
Denn schließlich können sie ihre Vorlagen an ein Volk
überweisen, das alles noch an Wilhelm Tell mißt. Sollte
das Volk das vergessen, dann kann man ja mit 700-Jahr-
feiern kräftig darauf aufmerksam machen. (Auch die
Diamantfeiern – Entschuldigung – waren eine Erinne-
rung an 1291.) Das ist alles zufällig, nur zufällig – aber
es hat Methode.

1291 macht unseren Staat bequem. Tell spricht nicht
zu uns. Zschokke und Stapfer und Pictet würden es tun
– würden zu etwas verpflichten. Wir haben immer noch
etwas gegen 1848. Dabei haben wir mit 1848 fast 150
Jahre lang recht gute Erfahrungen gemacht. Warum
lehnen wir es trotzdem ab?

Vielleicht, weil wir uns dafür schämen, daß uns 1848
aufgedrängt wurde. Nicht wir haben die alte Eidgenos-

senschaft untergehen lassen, sondern Napoleon und Europa, nicht wir haben diese Schweiz im 19. Jahrhundert gerettet, sondern vielleicht der Genfer Pictet. Nicht einfach wir Schweizer allein haben an diesem liberalen Staat gearbeitet, sondern zum Beispiel der Schriftsteller Zschokke, er wäre nach heutiger Definition ein Deutscher gewesen (damals war er ein Aargauer, weil damals jeder, der dort wohnte, ein Aargauer war, Stapfer auch).

Er hält sich gut, dieser Wilhelm Tell. Er ist geeignet für Gurtenfreiheit und Autopartei, gegen Solidarität und Entwicklungshilfe, gegen Europa und gegen alle Vögte (die sitzen im Ausland). Er ist ein Symbol – und jetzt meine ich es gar nicht zynisch – der Unabhängigkeit.

Und wir sind auf ihm sitzen geblieben. Die Tragödie der Schweiz ist die Verwechslung von Unabhängigkeit mit Freiheit. Unabhängigkeit ist auch etwas, sie kann eine Voraussetzung zur Freiheit sein, aber wir sind an ihr hängen geblieben, wir sind zu einem Landesverteidigungsstaat geworden, und wir haben dabei vergessen, den Staat zu verteidigen. Das ist nun allerdings (siehe Jugoslawien, siehe Sowjetunion, ehemalige) eine inzwischen moderne Krankheit von kleinen, hilflosen Staaten. Mit dieser Verwechslung gehören wir mehr und mehr zu diesen hilflosen Kleinstaaten, wir reden von Freiheiten und bleiben auf der Unabhängigkeit sitzen.

Wo wir 1848 dazugehören wollten, das haben wir nicht nur selbst beschlossen, und das werden wir auch 1995 nicht selbst beschließen. Das Instrumentarium dafür wäre zwar vorhanden, aber Wilhelm Tell hat dafür zu klobige Hände. (Sie gefallen mir übrigens auch, seine klobigen Hände.)

So leben wir denn halt in diesem 700-Jahrfeier-Land, mit dem wir als Staat eigentlich fast nichts, fast gar nichts zu tun haben, und wir versuchen als Land zu überleben, ohne unseren Staat wahrzunehmen, denn unser Staat hat keine Tradition, nur unser Land.

Wir sind aber inzwischen von Staaten umgeben, von modernen Staaten, und bilaterale Verhandlungen zum Beispiel hätten zwischen Staaten stattzufinden – wir verhandeln aber als Land gegen Staaten; wir haben nur noch eine Landesverteidigung anzubieten und keine Politik mehr. (Ich habe unsere Regierenden – den Außenminister zum Beispiel – mitunter im Verdacht, daß sie das genießen, es ist wesentlich bequemer, ein Land zu vertreten als einen Staat, und die Bürger – einige Bürgerinnen auch – wollen ohnehin keinen Staat, sie wollen nur ein Land.)

1998 würde dieser Staat Schweiz 150 Jahre alt – ein stolzes Alter, aber leider nicht unser Stolz. Wir werden dieses Jubiläum nicht feiern – ich sehe das inzwischen ein, es gibt auch nichts zu feiern. Wir wollen kein Staat sein, ein Land zu sein genügt uns (ein bißchen Fußball-weltmeisterschaften ist hier schon Außenpolitik). Land heißt Gegend, und diese Gegend wird wohl noch lange Schweiz heißen – sie wird den Staat überleben, das wird das Ende sein. Unsere Politiker vertreten ein Land (ein Land mit einer Geschichte) und nicht einen Staat (der keine Geschichte hat). Otto Stich übrigens, wer was auch immer von ihm hält, ich – inzwischen – viel, meint den Staat, das macht ihn hier zum Exoten.

Aber vielleicht vergessen wir dabei – wir Deutschschweizer, denn nach wie vor sind ja richtige Schweizer
Deutschschweizer – die französische Schweiz. Denn
ich habe den Eindruck, wir leben schon längst in zwei
verschiedenen Staaten. Die Romands in einem modernen Staat von 1848, die Deutschschweizer in einem
Staat von 1291. Die Romands denken nicht an die
Schweiz, wenn sie Patrie sagen, sie meinen das Waadt-
land, Neuenburg, Genf, Jura, und in diesem Bundes-
staat Schweiz sind sie nur Kollektivmitglieder. Die Romands haben die moderne Schweiz besser begriffen, sie
sind die besseren Bundesstaatler. Wir Deutschschweizer aber empfinden uns als Einzelmitglieder der
Schweiz. Unser Patriotismus bezieht sich auf das Land
Schweiz. Nun haben damals, 1848, einige Deutschschweizer einiges verloren und einige Romands etwas
gewonnen, nämlich die Freiheit. Europa hatte ihnen
die Freiheit gebracht. Die Geschichte ihrer Freiheit begann 1848, sie leben in einem Staat von 1848, in einem
anderen als die Deutschschweizer.

So ist denn auch etwa die Frage, ob die Romands einmal aussteigen werden aus diesem Land, eine eigenartige Deutschschweizerfrage. Man könnte sich ja auch
fragen, ob nicht vielleicht der Staat Schweiz in der Ro-
mandie eine viel bessere Überlebenschance hätte.

Die Deutschschweizer rächen sich immer noch. Es
gibt wirklich keinen Grund, 1848 zu feiern. Wir werden 1848 bis in vier Jahren nicht einführen können. Die
Bürgerlichen haben sich lange genug gefürchtet vor der
Einführung des »Sozialismus«, ich finde, sie hatten
lange genug Zeit gehabt, den liberalen Staat einzufüh-

ren – mir hätte der genügt –, einzuführen in unseren Köpfen, den Tellen endlich die Scham über 1848 zu nehmen, die Scham darüber, daß wir uns damals »fremdem« Gedankengut öffneten, auf deutsche Liberale hörten, einen guten Teil der amerikanischen Verfassung abschrieben. 1848 wäre der Stolz darauf, ein geistig offenes Land zu sein, das sich mit seiner Offenheit im damaligen Europa rettete.

In unserem Verteidigungsland bleibt uns aber nur noch eines: Die Hoffnung auf Europa für die einen, und die Hoffnung auf eine erneute europäische Katastrophe für die anderen. Entweder bekommt die zweite Gruppe recht – ich hoffe es nicht –, oder wir gehen unter, ich hoffe es nicht.

Was gibt es da noch zu hoffen, was gibt es da noch zu verhandeln? Wir leben doch sehr bequem in diesem Land, und Staat und Politik hatten wir doch nie im Sinn. Und wo bleibt das Positive? Vielleicht hat sich der rebellische Staatsfeind Wilhelm Tell wirklich endgültig durchgesetzt. Seine private Revolution hat nach 700 Jahren das Ziel erreicht. Das würde ich – letztlich, allerletztlich – doch erfreulich finden. Vor allem, nachdem es ihn nicht gegeben hat.

(Und ein Nachsatz: Für einmal seien die Lehrer von Schuldzuweisungen befreit. Einfach nur mit Geschichtsunterricht oder Staatskundeunterricht ist unser verschämtes Verhältnis zum Staat nicht zu ändern. Da hätten die Politiker etwas zu tun dafür, wenn sie wollten. Das Versprechen, trotz Unrecht für Rechtsstaatlichkeit zu sorgen, trotz Ablehnung der Alpenkonvention für die Alpen zu sorgen – dieses und ähnliche Versprechen genügen nicht, ein Land genügt nicht mehr, und kein Geschichtslehrer wird dagegen ankommen. Das Ende der Geschichte ist offensichtlich auch immer das Ende der Aufklärung. Unsere Politiker beschäftigen sich nicht mehr mit Politik, nur noch mit Landesverteidigung. Die allerdings haben wir inzwischen zu gut begriffen.)

Die Totaldemokraten

Bemerkungen zum Stammtisch

> »Da versetzte der Wirt mit
> männlichen klugen Gedanken...«
>
> Goethe, *Hermann und Dorothea*

Nein, Goethes »Hermann und Dorothea« spielt nicht in der Kneipe, die Herren treffen sich privat und disputieren dort in wohlausgewogenen Reden über die schrecklichen heutigen Zeiten – etwas liberalere, etwas konservativere Herren, aber ihre Bildung ist ihr Konsens. Sie sind ein wenig unterschiedlicher Ansicht, aber sie sind es immer im Gleichen, im Konsens, im Konsens der wohltemperierten Bürgerlichkeit.

Das ist Stammtisch, wenn er auch in diesem Falle nicht in der Kneipe stattfindet, und selbstverständlich hat es nie und nirgends solche oder ähnliche Stammtischgespräche gegeben. Trotzdem, das Klischee bleibt, bleibt in unseren Köpfen – und heute noch macht der Herr Apotheker den Eindruck, er gehe zu wohlausgewogenen Gesprächen ins Restaurant, wenn er zum Saufen geht.

Frühes 19. Jahrhundert – man findet ab und zu noch Spuren davon in Amerika: 1993 war ich für längere Zeit in New York und versuchte die Bars in der Umgebung so zu benützen wie die Beizen zu Hause – ein Glas Wein trinken und Zeitungen lesen. Ich galt sehr schnell als eigenartig, aber man akzeptierte den Fremden und das Fremde. In einer Bar allerdings wurde ich schon beim dritten Mal nicht mehr bedient. Als ich es einem amerikanischen Freund erzählte, fragte er mich, ob ich denn allein dort gewesen sei, das gehe nicht. Man hat in der Bar jemanden zu treffen – also vorher mit jemandem abzumachen. Wer allein geht, der geht zum Trinken, und man trinkt nicht. Als anständiger Bürger, als gebildeter Bürger trinkt man nicht, sondern man trifft Leute zum angeregten Gespräch und trinkt dabei ein Gläschen oder zwei oder mehr.

Der Stammtisch ist nichts anderes als eine Rationalisierung dieser Prozedur. Damit man nicht jedesmal ein Alibi organisieren muß, spricht man sich darauf ab, sich jeden ersten Donnerstag im Monat, jeden Mittwoch oder jeden Tag um 17 Uhr zu treffen. Wie so viele andere Sitten im Umgang mit Alkohol entstammt auch der Stammtisch bürgerlicher Prüderie.

Die Rotarier (Amerika!) treffen sich wöchentlich, die Altherren der Studentenverbindung am sogenannten Stamm, die dort übrigens noch eine ganze Reihe von Ritualen pflegen, um die Trinkerei vom Verdacht des Alkoholismus zu befreien. Man geht in die Kneipe, um etwas zu trinken; und jene, die gehen, um jemanden zu treffen, die gehen, um Gleichgesinnte zu treffen. Wenn Streit entsteht am Stammtisch, dann nicht wegen des Themas – das Thema an und für sich, das ist der Konsens –, Streit entsteht aus ganz anderen Gründen, aus persönlichen: Wer ist der Gescheiteste? Wer weiß es, und wer weiß es ganz richtig? »Wollen wir wetten?« wird täglich an Tausenden von sogenannten Stamm-

tischen ausgerufen. Der Fremde oder gar der Fremd-
sprachige am Nebentisch wird den Eindruck bekommen, daß hier heftige politische Diskussionen im
Gange seien oder daß das hier – der Stammtisch – eine
der Kernzellen der Demokratie sei.

Er war es vielleicht einmal, nämlich damals, als es
noch einen gesicherten Konsens der Konservativen
gab, einen gesicherten Konsens der Liberalen, der
Fortschrittlichen, der Freisinnigen. Es ist durchaus
denkbar – aber ich lasse mich gern vom Gegenteil überzeugen –, daß an diesen Stammtischen im 19. Jahrhundert die Politik gemacht wurde – nämlich die Politik
einer durch und durch konservativen oder durch und
durch liberalen Gemeinde –, und es gibt (gab) auch
einen Konsens der Revolution, z. B. der liberalen Revolutionen von 1830.

In einem im Magazin des »Tagesanzeigers« veröffentlichten Gespräch (durch meine Schuld – oder noch
schlimmer Unschuld – mißlungen) beklagte David de
Pury den Verlust des Konsenses in unserer Politik. Er
beklagte damit eigentlich den Verlust des bürgerlichen
Stammtisches. Es gibt ihn nicht mehr. Gab es ihn überhaupt je einmal? Oder ist er letztlich eine romantisch-
literarische Vorstellung, auf die wir hereinfallen. Vielleicht ist unser Bundesrat noch so etwas wie ein
Stammtisch: sieben Leute, die die Aufgabe haben, den
Konsens zu suchen und ihn kollegial – Kollegialbe-
hörde – zu vertreten.

Es stimmt, der Konsens war einmal ein demokratischer, ein liberaler – und das war er sogar auch, als noch
nicht alle liberal waren –, ein fortschrittlicher Konsens.

So wie sich durchaus der Kreis der Rotarier, der sich am Dienstag trifft, als zum mindesten aufgeschlossen empfindet. Sie haben auch den Eindruck, daß unter ihnen heftig diskutiert wird, denn einem wird wohl die Rolle des Linken, dem anderen die Rolle des Militärkopfs zugedacht – und all das eben im Konsens.

Ich persönlich habe zwar den Eindruck, daß es früher Gaststätten gab, wo sich die ganze Bevölkerung ohne Unterschied traf – wo man also (im Gegensatz zu meiner Bar in New York) allein und als Eigenartiger hingehen und ein wenig teilhaben konnte. Und noch einmal Amerika: Man spricht dort davon, wie man z. B. die Schwarzen in die Gesellschaft integrieren, sie aus ihrem Getto herausholen könnte. Ich fürchte, diese Gesellschaft, in die sie integriert werden sollen, existiert längst nicht mehr. Auch das öffentliche Leben in Amerika ist privatisiert, alle leben im Getto – im Getto der Reichen, im Getto ihres Berufes –, und ein Schwarzer wird ohne weiteres in das Getto, in die Partygesellschaft der Oberärzte aufgenommen, wenn er Oberarzt wird. Der Stammtisch findet wie bei Goethe zu Hause und privat statt. Die Frage ist, wie sehr wir hier in der Schweiz schon amerikanisiert sind, wie öffentlich unser öffentliches Leben noch ist.

Noch gibt es in einer Schweizer Beiz den Stammtisch mit einem geschmiedeten Aschenbecher mit entsprechender Inschrift. Das ist der Tisch der Stammgäste. Sie haben hier besondere Rechte, sie sind hier irgendwie zu Hause und kämpfen wie feindliche Brüder um die Gunst der Wirtin und der Kellnerin: der Biertisch.

Am Biertisch wird – nach Auskunft der Beteiligten – politisiert. Das klingt dann – gestern gehört – so: »Die Schweiz wird nie mehr eine Olympia-Medaille machen, weil das alles eine total falsche Politik ist. GC wird nicht gewinnen, weil das eine falsche Politik ist«, wobei es keine Vorschläge gibt für eine »bessere Politik«, sondern nur die Vorstellung von besseren Politikern. Mit »besseren« Politikern würden wir die Medaillen machen. Einer, der an Medaillen nicht interessiert ist, hat hier gar keine Chance – der Konsens.

Sie kriegen hier am Biertisch auch täglich den Konsenskatalog. Der »Blick« bestimmt die Themen des Tages. Er bestimmt nicht die Politik, sondern er fühlt den Puls der Mehrheit und gibt ihn weiter an alle Minderheiten, die auch zur Mehrheit gehören möchten. Er macht nichts Böses. Er macht nur, was sie wollen. Der »Blick« wird hier nicht gelesen, sondern er wird erzählt, immer wieder: »Hast du gelesen im Blick, da hat doch…« Der Erfolg des »Blicks« ist eine mündliche Tradierung. Er hat das Ziel des Biertisches entdeckt – den Konsens. Nur ist es nicht mehr der Konsens der Konservativen und der Liberalen. Es ist jetzt der Konsens der Totaldemokraten, die glauben, daß man zu allem Ja oder Nein sagen könne, auch zu Unhumanem, auch zu Undemokratischem, auch zu Unliberalem, zu Unsozialem. Solange sie nicht zur Abstimmung gehen – und sie gehen nicht –, ist der Schaden klein. Die »schweigende Mehrheit« sitzt jedenfalls nicht hier, sondern zu Hause – und sie geht abstimmen, und sie kann dabei überraschen. Würden nur die Biertischbrüder abstimmen, das Resultat wäre zum voraus sicher.

Nein, hier am Biertisch sitzt nicht das Volk, hier sitzen nur die vom Biertisch, und keine einzige Idee von Christoph Blocher ist ihnen neu, denn neue Ideen hätten hier – im Konsens der Trinker – nicht die geringste Chance. Hier am Biertisch sitzen jene, die sich von ihm verstanden fühlen: »Der wagt es zu sagen«, aber jene, die ihn wählen, sitzen nicht hier – die Biertischbrüder wählen nicht, die Demokratie hat sie (glücklicher- und unglücklicherweise) noch nicht erreicht.

Wenn also der Stammtisch, der Biertisch, die Urzelle unserer Demokratie wäre, dann gäbe es längst keine Demokratie mehr. Nur nehme ich an, daß er es in Wirklichkeit nie war – die schweigende Mehrheit ist anderswo, und ihr ist etwas schwerer beizukommen mit Ideen, die sie bereits haben. Auch Christoph Blocher ist ein Opfer einer romantischen Vorstellung vom Stammtisch: Ein Altherr einer Studentenverbindung, der noch voll im Saft ist, und glaubt, daß das, was am Stamm geredet wird, alles ist, was geredet wird.

Wir alle suchen jene, die gleicher Meinung sind, ich auch. Und ich freue mich doppelt, wenn es ein Bauarbeiter ist. Ich bin kürzlich völlig konsterniert vom Biertisch nach Hause gelaufen, weil es mir wirklich gelungen war, einen Faschisten in der Asylantenfrage vom Gegenteil zu überzeugen. Am anderen Tag war er wieder rückfällig. Das war für mich ein wenig beleidigend, aber auch ein wenig befreiend. Ich bin ein Unschuldiger – am Stammtisch sitzen nur Unschuldige; Unschuldige, die glauben, es müßte nur ein totaler

Konsens hergestellt werden, egal welcher, und die Welt wäre in Ordnung. Vielleicht ist es so, daß die Demokratie nur im Konsens funktioniert – aber die Totaldemokratie jedenfalls wäre keine Demokratie.

Aber ich glaube dem Herrn Kamber

Eine Rede

Meine Damen, meine Herren,

im Kanton Solothurn in der Schweiz – der Kanton, in dem ich wohne – gab und gibt es eine kantonale Kunstkommission, politisch zusammengesetzt und gewählt. Ab und zu besucht sie Kunstausstellungen und wählt etwas aus für den Kanton. Vor ein paar Jahren noch hatte dann der Präsident dieser Kommission mit den Bildern vor der versammelten Regierung, dem Regierungsrat, zu erscheinen. Die fünf Minister beurteilten die Vorschläge, diskutierten darüber, ob es sich bei diesem Bild um Kunst handle, nahmen dann wieder fachmännisch zwei, drei Schritte Distanz von den Bildern, legten die Hand ans Kinn, räusperten sich und stimmten dann darüber ab, ob das Bild gekauft werde. In der Regel wurde es. Zu Hause hatten sie zwar ganz andere Bilder, nämlich schöne – trotzdem, das Sich-Befassen mit der hehren Kunst wollten sich die hohen Herren nicht nehmen lassen.

Das war lächerlich und provinziell, und das wußten schon damals alle, außer den hohen Herren, die eben davon ausgingen, daß sie vom Volk gewählt seien und das Volk und seinen Geschmack in dieser Sache zu vertreten hätten – oder vielleicht noch eher, daß sich mit der hohen Kunst eben hohe Herren zu beschäftigen hätten. Außer den Beteiligten wußte von diesen langen und wichtigen Regierungssitzungen wohl niemand etwas, und festgelegt war das Procedere auch nirgends, und wäre es ausgekommen, die Herren hätten wohl schnell darauf verzichtet, um ihre Wiederwahl nicht dem Geschmack des Volkes opfern zu müssen.

Das Procedere gibt es inzwischen so nicht mehr, aber in vielen Facetten doch noch ähnlich. Man hat eben Kultur, wenn man ein Politiker ist. Einer von ihnen, ein Sozialdemokrat, hatte glücklicherweise keine – oder keine solche –, ihm gefiel moderne Kunst halt nicht, und er beendete den alten Brauch mit dem Satz: »Mir gefallen diese Bilder überhaupt nicht, aber ich glaube dem Herrn Kamber.« Herr Kamber war der Präsident der Kunstkommission.

Es gibt die fatale Vorstellung, daß es vor Zeiten Fürsten und Höfe gegeben habe, die die Kunst förderten, und daß die glanzlose Demokratie dies zu übernehmen hätte. Diese Vorstellung ist eine feudalistische und undemokratische. Feudalistisch, weil der Umgang mit Kultur mitunter eben den Politikern jene fürstlichen Gefühle vermittelt, und undemokratisch, weil diese Art von Kulturförderung den Hauch von Gunst hat und aus den Kulturschaffenden Günstlinge macht. Das damalige Vorgehen der Solothurner Regierung war feudalistisch.

Immerhin, sie beschäftigten sich damit, wenn auch sicher dilettantischer, oder noch dilettantischer als der zuständige Ausschuß. Der Irrtum der Regierung aber war, daß sie glaubte, sie sei für Kultur letztinstanzlich zuständig. Politik ist nicht für Kultur zuständig, sondern für Zivilisation. Meine Lexiken tun sich zwar auch schwer, die beiden Begriffe zu unterscheiden, und wenn sie Kultur definieren wollen, werden sie hochtrabend.

Etwa so: »Der Begriff der K. bezieht sich in Unterscheidung zu dem Begriff der Natur (die ohne Zutun des Menschen existiert) auf alles, was der Mensch als gesellschaftl. Wesen bzw. die Menschen aller Völker zu den verschiedensten Zeiten und in unterschiedlichster Weise produktiv bearbeitet oder gestalterisch hervorgebracht haben; dies im Widerstreit mit den zerstörer. Potenzen, die der Menschheit eigen sind. In diesem Sinne ist K. Bedingung und Ergebnis des denkenden und handelnden Menschen auf der Suche nach den jeweils adäquaten Lösungen seines gesellschaft. Seins.«

Ich ziehe die Definition von Kultur vor, die dann von der von Zivilisation kaum mehr zu unterscheiden ist: »Kultur ist im landwirtschaftlichen Sinne Pflege und Urbarmachung des Bodens.« Die Politik ist so für den Boden verantwortlich, auf dem die Kulturen und die Kultur wachsen – und nicht für die Erntefeiern.

Aber vorerst eine andere Geschichte, ich habe sie mir vor 15 Jahren aufgeschrieben, anläßlich der Zürcher Jugendunruhen. Eines der Ärgernisse waren damals die vielen gesprayten Sprüche an den Fassaden der Stadt. Also:

Ich stelle mir vor, daß irgendwo in Zürich im Jahre 2473 eine Hausfassade renoviert wird und dabei uralte Inschriften gefunden werden wie »Freiheit für Grönland«, »Nieder mit dem Packeis«, »Wir fordern die so-

fortige Schließung der Stadt Zürich«, dies weil von Bürgern die Schließung des Jugendzentrums gefordert wurde, und »Samstags frei für die Polizei« oder »Nieder mit den Alpen, freier Blick aufs Mittelmeer«. Ich stelle mir vor, daß die Renovationsarbeiten unterbrochen werden, der kantonale Denkmalpfleger und die Altstadtkommission beigezogen werden. Man wird einen Restaurateur rufen, der sorgfältig prüft, ob die alten Inschriften gerettet werden können, man wird abklären, wie sich Bund, Kanton und Gemeinde die Restaurationskosten teilen wollen. Man wird vielleicht den Hausbesitzer später mit einer Plakette ehren, weil er keine Kosten scheute für das alte, echte Stadtbild.

Vielleicht wird man Festreden halten. Ein Historiker wird über den tiefen Gehalt echter und anonymer Volkskunst im späten 20. Jahrhundert sprechen. Der Stadtpräsident wird sich in seiner Rede über das Desinteresse der heutigen Jugend im 25. Jahrhundert beklagen und nostalgisch von den Zeiten reden, in denen es noch eine öffentliche Auseinandersetzung gab. Vielleicht werden die Politiker Max Frisch zitieren, und vielleicht werden sich die Jugendlichen ärgern, daß man ihnen wieder diesen Max Frisch als Vorbild hinstellen will. Vor fünfhundert Jahren ärgerten sich genau die gleichen Bürger über ihn, die ihn jetzt zitieren.

Aber sicher wird sie enorm teuer, diese Renovation. Denn die Spraydosen waren damals noch aus Aluminium – ein Material, das es heute nicht mehr gibt. Das Treibgas des Sprays ist längst als so gefährlich erkannt worden, daß der Umgang mit ihm unzumutbar ist. Die würdigen Herren Politiker werden das gelungene Werk *loben und als eine echte Bereicherung des Stadtbildes anpreisen. Und die älteren Herren werden sich sehr ärgern, weil es in der Stadt viele Jugendliche gibt, die diesen ganzen Denkmalschutz nicht als Kultur empfinden und nicht begreifen wollen, daß man für historische Zufälligkeiten Millionen von Steuergeldern ausgibt.*

Die Fassadeneinweihungsfeier wird jedenfalls von der Polizei geschützt werden müssen. Man wird mit Gewalt gegen diese Gruppe von Jugendlichen vorgehen, die am Rande der Veranstaltung mit einem Transparent steht und Geld fordert für die echte und gegenwärtige Kultur – die zum Beispiel ein autonomes Jugendzentrum fordert. Das viele Geld, das Bund, Kanton und Gemeinde ausgegeben haben für die Restaurierung der schönen alten Inschriften, das hätte nämlich für das seit Jahrhunderten geforderte Jugendzentrum wieder einmal gereicht.

Aber den Herren wird Kultur halt lieber sein, und man wird den Jugendlichen auch vorhalten, daß es auch Jugendliche waren, die vor über vierhundert Jahren diese schönen Verzierungen angebracht haben.

Diese Geschichte, damals veröffentlicht in Gewerkschaftszeitungen, hat mir Ärger eingebracht, wütende Aufschreie von Politikern. Bei allem Verständnis für ihren Aufschrei und für ihre Sorge um die Erhaltung von sauberen Fassaden und Westen: Diese Geschichte ist realistisch, und sie wird sich mit Sicherheit so zutragen – außer es gibt im Jahre 2473 überhaupt kein kulturelles Interesse des Staates mehr an Kultur.

Im übrigen spricht es auch nicht gegen die Politiker des Jahres 2473, wenn sie dieses wertvolle Kulturdenkmal erhalten wollen. Die Erhaltung von Kulturdenkmälern ist sicher eine politische Aufgabe – nur eben Kulturdenkmäler werden nicht nur gepflegt, sie sind auch pflegeleicht. Und wir alle flüchten uns immer wieder in die Kulturdenkmäler, weil uns Kultur zu umständlich ist. Das Museum ist uns lieber als das Atelier. Und unsere Veranstaltungen werden geschmückt mit den Werken erfolgloser Musiker – Schubert zum Beispiel. Das ist halt so, und das wird so bleiben. Übrigens, Schubert war nicht erfolglos, weil ihn zufällig niemand kannte, Jean Paul zum Beispiel, der 350 km von Wien entfernt wohnte, kannte seine Musik und bat seine Kinder – oder befahl ihnen wohl –, im Nebenzimmer Schubertlieder zu singen, als er 1825 in Bayreuth im Sterben lag. Schubert war nur erfolglos, weil er nicht – noch nicht – zum Kanon der Kultur gehörte.

Welchen Politiker wollen wir nun schuldig sprechen am Unrecht, das dem unbeachteten Schubert geschah. Selbstverständlich keinen. So bleibt nur noch der kleine Vorwurf an jene, die mit oder ohne Smoking Schubert genießen oder über sich ergehen lassen und mit ihm – Schubert – der zeitgenössischen Musik denselben Vorwurf machen, der wohl ihm gemacht wurde.

Und ich bin ungerecht: Denn die Tradition ist ein wesentlicher Bestandteil der Kultur. Selbst der avantgardistischste Künstler geht dauernd mit Tradition um, mit der Tradition der Kultur. Er stellt sie zum Beispiel in Frage, aber seine Frage wird nur erkennbar, wenn wir die Tradition kennen und erkennen.

Eine Geschichte erkennen wir dann als Geschichte, wenn sie einer Geschichte gleicht. Ein Gedicht ist dann ein Gedicht, wenn es einem Gedicht gleicht, an Gedichte erinnert.

So könnte ich mir ohne weiteres vorstellen, daß es um 1800 herum Autoren gegeben hat, die gut und gern solche Gedichte hätten schreiben können wie heute etwa Ernst Jandl – Goethe zum Beispiel oder Jean Paul. Nicht die Zeiten waren ganz anders oder schöner oder gar kultureller – nur die Reihe der Tradition war noch nicht so weit, daß man damals solche Gedichte hätte erkennen können. Sie glichen damals noch nicht Gedichten.

Tradition ist nicht einfach das alte Schöne. Die Tradition ist kein Antiquariat, sondern eine lebendige Reihe, in der wir stehen, eine Reihe, die auf uns zukommt und hinter uns weitergeht, wie ein Asiat sagen würde, für den die Vergangenheit vor ihm liegt – er sieht sie – und die Zukunft hinter ihm, er sieht sie noch nicht.

Die Vergangenheit sehen, die vor uns liegt, dazu brauchen wir erst einen Beziehungspunkt. Die zeitgenössische, die avantgardistische Kunst ist immer wieder dieser Beziehungspunkt.

Wer glaubt, sogenannte alte Kunst ohne diesen aktuellen Bezug genießen oder würdigen zu können, dem entgeht ein wesentliches Erlebnis, das Erlebnis, selbst als Konsument oder Produzent in dieser Traditionsreihe zu stehen, sich selbst als Teil dieser Tradition zu empfinden – hier zu stehen und die Vergangenheit vor sich zu sehen, im Wissen, daß hinter uns eine Zukunft sein wird.

Ich bin überzeugt, nur wer solche Traditionsreihen

erkennen kann, nur wer immer wieder versucht, bewußt in ihnen zu stehen, wird sich selbst davon überzeugen können, daß er an einem Überleben der Welt und der Menschheit – auch nach seinem sicheren persönlichen Tod – interessiert ist. Insofern bedarf die Zivilisation der Kultur. Ohne sie gäbe es wenig Gründe, bei unserem Handeln an zukünftige Generationen zu denken.

Der inzwischen glücklicherweise doch etwas antiquierte Streit »Für alte oder moderne Kunst« wurde eigentlich nie von Freunden alter Kunst ausgetragen, sondern in der Regel doch eher von Leuten, denen Kunst an und für sich fremd war. Und Sie werden in Museen für alte Kunst wenige Besucher finden, die mit gegenwärtiger nichts anfangen können.

Nun gibt es selbstverständlich auch den Snob, der nur so tut, weil man eben so tut, dem es nur gefällt, weil es ihm zu gefallen hat. Wir alle, wirklich alle, schimpfen auf ihn.

Ich bin ein Snob. Wir alle sind es. Mit zwölf entdeckte ich die Stadtbibliothek in Olten – Freunde von mir holten sich dort ihre Karl-May-Bände. Das war beim ersten Eintreten zwar auch meine Absicht, aber ich wollte erst mal den Bibliothekar beeindrucken und sagte einen Namen, den ich schon gehört hatte: »Goethe«. Aus purem Snobismus. Und aus purem Snobismus begann ich ihn auch zu lesen. Ich war nun einer, der Goethe liest, und das beeindruckte mich selbst auch so sehr, wie es den Bibliothekar beeindrucken sollte, und ich begann, mir die Literatur anzugewöhnen. Sie begann mir zu gefallen.

Am Anfang aber standen nichts anderes als ein Entschluß und eine Behauptung, die Behauptung, daß ich einer sei, der Goethe liest. Und ich war eingestiegen in eine Tradition, von der ich vorerst nur einen Namen kannte.

Es gibt aber auch jene besonders Klugen, die von sich behaupten, daß sie auf Namen nicht hereinfallen, daß ihnen der Name des Autors, des Komponisten, des Malers unwichtig sei. Ihnen gehe es nur darum, daß es eben schön sei und ihnen gefalle. Ich glaube ihnen das nicht, und ihr Verhalten hat mit Kultur wenig zu tun. Denn das Einsteigen in Kultur ist auch das Einsteigen in Traditionen, und die Tradition ist nur an Fixpunkten zu erkennen, an Namen zum Beispiel.

Ich bin sicher, daß ich die *Wanderjahre* von Goethe nicht gelesen hätte, daß ich ihren Anfang fürchterlich gefunden hätte, hätte ich nicht gewußt, daß sie von Goethe sind. Inzwischen gehören die *Wanderjahre* zu meinen Lieblingsbüchern. Mit dem snobistischen Satz: »Ich achte nicht auf Namen, ich lese, was mir gefällt«, hätte ich eines meiner Lieblingsbücher verpaßt. Kultur ist also auch eine Behauptung, ich behaupte erst einmal, daß ich einer sein will, der Bücher liest. Und ich steige damit ein in eine Tradition.

Der besonders Kluge aber, der von sich behauptet, nichts auf Namen zu geben, sondern nur seinem eigenen Geschmack zu vertrauen, wird, wenn überhaupt, immer nur das einzelne, vielleicht gute Werk sehen, lesen oder hören. Aber nicht das einzelne schöne, gute oder hervorragende Werk macht die Kultur aus, sondern die Gesamtheit von allem, was gemacht wird.

Sogenannte Qualität wird zwar mitunter ein Grund sein für das Überleben von Namen und Werken. Allein entscheidend ist aber Qualität – wie oft auch Kritiker meinen – nicht. Daß der oder die ganz Große unentdeckt bleibt, ein Kleiner aber in der Kulturgeschichte mitgeschleppt wird, ist ein wesentliches Merkmal kultureller Abläufe – die Zukunft kann zwar ab und zu solche Irrtümer korrigieren, aber sie tut es selten, und wohl immer weniger. Unsere Zeit ist zu schnell für Renaissancen, was verloren ist, bleibt wohl verloren. Sicher fasziniert mich bei Goethe oder bei Jean Paul ihr großes Können, ihr bewußt handwerkliches Schreiben. Sicher sind sie zwei Große unserer Literaturgeschichte, und wir können uns unsere Literaturgeschichte ohne Goethe nicht vorstellen. Vorstellbar ist aber, daß er trotzdem keinen Eintritt in die Literaturgeschichte gefunden hätte. Hätte er das nicht, wir würden ihn nicht vermissen, weil wir nichts von ihm wüßten.

Der andere Große – Jean Paul – existiert ja eigentlich nur noch in dieser Geschichte. Und die wenigen, die seinen Namen kennen, wissen höchstens, daß er nicht leicht zu lesen ist. Ich lese ihn leidenschaftlich gern. Vielleicht auch aus Snobismus, weil ich ein Jean-Paul-Leser sein will. Es ist noch nicht sehr lange her, daß ich zum Jean-Paul-Leser geworden bin. Ich lebte vorher ganz gut ohne ihn. Inzwischen ist er in meinem Leben zu etwas Zentralem geworden. Ich lebe inzwischen mit ihm. Das habe ich der kulturellen Tradition zu verdanken, jener Tradition, die diesen Namen mitgeschleppt hat. Ohne die kulturelle Tradition hätte ich keine Chance gehabt, ihn zu entdecken.

Eine kleine Zwischengeschichte: Letzte Woche hörte ich in einer Mainzer Kneipe dem Gespräch von ein paar Trinkern zu. Einer sagte, daß er zu Hause den ganzen Karl May stehen habe, alle Bände, »weißt du, diese grünen, schönen«, und er sagte das, wie solches eben in der Kneipe gesagt wird, so im Tonfall »ich habe, und du hast keine Ahnung«. Der andere war dem hilflos ausgeliefert, und nun begann er die ersten Zeilen des Erlkönigs zu zitieren, und er freute sich ungemein, daß er sie noch konnte. »Von Goethe«, sagte er. Und der andere, der mit dem Karl May, sagte nun: »Nein, der Erlkönig ist nicht von Goethe – der ist von Storm oder von Fontane.« Unwichtig, wer recht hatte – ich staunte darüber, was für Namen hier fielen, was für Namen in diesem Kopf drin waren. Hier zwar nur gebraucht zur Aufschneiderei, aber immerhin – und wer weiß, vielleicht wird er demnächst zum Snob und beginnt zu lesen.

Sie werden es bemerkt haben, Sie werden von mir kaum praktische Anleitungen bekommen zur Handhabung von Kulturellem in der Politik. Ich gestehe auch, daß mir das Thema eher peinlich ist – dies auch, weil es seine eigenartige Selbstverständlichkeit hat: Wo ist der Politiker, der sich hinstellt und sagt: Keine Kultur! Oder etwa heute: Wir müssen sparen, und das kann man sich sparen?

Zwar beklagen sich Künstler immer wieder über das mangelnde Engagement des Staates für Kunst, und da mögen sie ab und zu recht haben. Sie beklagen sich auch über das falsche Engagement, und da haben sie mitunter sehr recht – aber selbst der übelste Diktator geht in die Oper und braucht Symphonien und Sänger für seinen Glanz.

Warum gehen Sie in die Oper, Herr Bürgermeister? Sie schlafen dort doch gleich ein. Oder sind Sie etwa ein Opernfan, lieben Sie Verdi? Dann haben Sie Glück gehabt, denn Sie hätten auch hinzugehen, wenn Sie kein Opernfan wären. Ich zum Beispiel brauche nicht hinzugehen.

Oder es geht Ihnen so wie dem Pfarrer, der letzlich nicht ganz sicher sein kann, ob er fromm ist – er nimmt es zwar an und mit guten Gründen, aber es ist halt doch sein Beruf, sein gelernter Beruf und sein Einkommen.

Nun gibt es wohl auch solches Verhalten von Politikern und Politikerinnen gegenüber der Religion – das ist dann unter Umständen etwas freiwilliger –, das Verhalten des Politikers gegenüber Kultur ist eigenartigerweise obligatorisch. Man hat eben Kultur.

Unsere Neigung zu Kultur hat wohl auch damit zu tun, daß uns die Zivilisation immer wieder mißlingt.

Und hier doch noch ein eigener kleiner Definitionsversuch: Die Zivilisation – »zivilisiert« im Gegensatz zu »wild« – hat die Grundlage dafür zu schaffen, daß alle Menschen menschenwürdig leben können. Die Kultur hätte dafür zu sorgen, daß sich Menschen an ihrem Leben freuen können, daß sie es reflektierend und bewußt bestehen können.

Die Reihenfolge ist klar. Sollte es der Politik gelingen, Zivilisation zu verwirklichen, hätte sie sich um das zweite, um die Kultur, gar nicht zu kümmern.

Bertolt Brechts »Erst kommt das Fressen, dann kommt die Moral«, kann durchaus auch so verstanden werden. Denn allzuoft wird für öffentliche und private Übeltäter die Kultur zum moralischen Alibi – wir haben Kultur, wir haben einen Flügel, die Tochter spielt Querflöte, wir sind anständige Menschen.

Oder die öffentliche und private Kulturförderung wird als Wohltätigkeit mißverstanden, der reiche Kunstsammler gilt als Wohltäter – unter was für sozialen Umständen er auch immer sein Geld dafür verdient hat. Unter solchen Umständen kann Kultur durchaus der Zivilisation feindlich sein. Und es mag auch eine Politik geben, die die Kultur – z. B. die Kultiviertheit – der Zivilisation vorzieht, nämlich dann, wenn Kulturelles zum Privileg jener wird, die sich an einer mangelhaft organisierten Zivilisation bereichern.

So gesehen wäre dann staatliche oder städtische Kulturförderung nichts anderes als ein schäbiger Ausgleich für mißlungene Zivilisation.

War zum Beispiel der Nationalsozialismus ein zivilisatorisches Ereignis oder ein kulturelles – um auf diesem Wege noch einmal zu versuchen, auseinanderzuhalten, was den Lexiken offensichtlich nicht gelingt. Ich fürchte, er war ein kulturelles Ereignis – zum mindesten kann ja das, was er angestellt hat, nicht als zivilisiert bezeichnet werden.

Ich kenne keine Diktatur, die nicht Kulturelles im Sinne hatte, nämlich eine Tradition zu schaffen – ein tausendjähriges Reich – und den Leuten das Bewußtsein zu geben, in einer Tradition zu stehen, die weit über sie hinausgeht, das Bewußtsein zu geben, daß sie ein Denkmal erhalten werden, daß sie an Denkmälern arbeiten. Dafür mußte zuerst die Kunst geregelt werden. Das sah so aus, im Faschismus wie im realen Sozialismus, daß die Kunst in den Dienst des politischen Willens gestellt würde. In Wirklichkeit wurde sie da wie dort nur dem allgemeinen schlechten Geschmack verpflichtet. Das Denkmal, für das die Menschen sterben mußten, sollte wenigstens ein schönes und nicht ein modernes sein.

Kultur ist entweder etwas Vergangenes oder etwas Gegenwärtiges – eine Kultur der Zukunft wird schnell gefährlich. Die Aufgabe der Kulturschaffenden – aller, also der Politiker, der Museumsdirektoren, der Leser, Schauer und Hörer, der Schreibenden und Musizierenden – ist, erst einmal eine Tradition fortzusetzen.

Es gibt – zum Beispiel – keinen anderen Grund, heute noch Geschichten zu schreiben. Mit den Geschichten der vergangenen Jahrhunderte könnten wir unser Leben bestehen. Die Geschichten sind alle schon geschrieben, die Geschichten der menschlichen Leidenschaften, von Liebe und Tod, Neid, Haß und Intrige – dem wäre eigentlich nichts hinzuzufügen, als: Wir wollen die Tradition des Erzählens und die Tradition des Zuhörens fortführen – und zwar jetzt, heute, in diesem Jahr, Kultur hat keine Zukunft, sie hat nur ein Jetzt.

Das mag sie mitunter für Politiker unverständlich machen. Und wenn die Politik Kultur fördert, dann fragt sie in der Regel gleich: Wieviel wird sie wert sein in der Zukunft? Hat Meier das Zeug dazu, ein bedeutender Bildhauer zu werden? Wird dieser Roman in die Literaturgeschichte eingehen?

Ich kann Ihnen die Frage blind – ohne Autor und Buch zu kennen – beantworten: Nein, er wird nicht.

Aber jetzt ist er da, der Roman – jetzt wird er geschrieben, jetzt wird er von einigen gelesen.

Wenn Sie Künstlerinnen und Künstler fördern wollen, die später zu den ganz berühmten gehören werden – ich mache jede Wette, Sie würden keinen einzigen Treffer erzielen. Auch Sie würden Schubert verpassen – und dies sage ich ohne Vorwurf; es ist selbstverständlich.

Kultur ist etwas Unökonomisches, so wie Erzählen und Zuhören unökonomisch sind. Das braucht nur Zeit, führt zu nichts – außer das wäre nicht ein Nichts, wenn zwei Menschen miteinander sprechen.

Ökonomisches Denken auf Kulturelles übertragen zu wollen, kann fatale Folgen haben. Auch wenn es mit viel gutem Willen geschieht.

In den sechziger Jahren blühte das Stadttheater Basel, das bis anhin eine gute brave Bühne war, plötzlich auf. Werner Düggelin übernahm die Direktion – es gab Leute genug, die ihm das nicht zutrauten, vielleicht auch er sich selbst nicht –, aber, wohl eine Reihe von gewollten Zufällen, das Stadttheater Basel hatte plötzlich einen internationalen Ruf, man kam von weit her, um hier Inszenierungen zu sehen. Düggelin hatte eine Mischung erfunden, mit der er Leute motivieren konnte. Das Theater brodelte durch die ganze Stadt. Der Fußballclub, der FCB, gehörte seinerzeit zu den besten, und man hatte ab und zu den Eindruck, den wohl nicht richtigen, daß man auf dem Fußballplatz dieselben Leute traf wie im Theater.

Und auch die Regierung war stolz auf ihr Theater und beschloß, ein neues, wunderbares, großes Theater zu bauen. Werner Düggelin kämpfte gegen dieses Projekt, fand es unnötig und lächerlich. Er ärgerte sich auch darüber, daß die Leute, mit denen er immer um die Subventionen zu streiten hatte, plötzlich Geld in Hülle und Fülle hatten – nämlich für den Bau eines Theaters, das auch architektonisch dem neuen Renommee entsprechen sollte. Daß Düggelin erklärte, er werde nach dem neuen Bau das Theater verlassen, was er auch tat, wurde überhört.

Als das neue Theater stand, ein sehr schönes Theater, ging es um die neuen Kredite, denn das neue Theater war größer und erforderte mehr Geld für den Betrieb. Diese neuen Kredite wurden abgelehnt. Und nun hatte man einen internationalen Theaterbau mit einem provinziellen Budget. Das Theater war zwar weiterhin ein gutes oder ein rechtes Theater, aber keiner mußte mehr nach Basel reisen, um eine Inszenierung zu sehen.

Und hier nun endlich ein praktischer Lehrsatz: Kultur ist etwas, das man betreiben muß. Kultur braucht Betriebsgelder. Hört endlich auf, Theater zu bauen und Museen zu bauen, das Geld ist besser angelegt, wenn ihr es anlegt für den Betrieb des alten Museums und des alten Theaters, für den Betrieb eines improvisierten Kleintheaters.

Nur eben: Das alte Theater ist nur ein Jetzt. Das neue ist eine Investition für die Zukunft. Und nicht nur hier, sondern in allem und überall, hat die Politik eine fatale Begeisterung für das Bauen. Die Baulobby ist eine penetrante Lobby, und den Politikern ist ja ab und zu auch wieder einmal eine ruhige Nacht zu gönnen. Zudem – der alte Feudalismus – Kultur soll glanzvoll sein, gemeint ist nicht das Leben, sondern das Denkmal.

Übrigens, der FC Basel bekam kurz darauf auch Mühe. Sein Glanz war auch weg. Ich bin überzeugt, die beiden Ereignisse standen in einem Zusammenhang. Aber ich weiß nicht wie und weshalb.

Immerhin kann ein Fußballverein durchaus zur Kultur einer Stadt gehören. Hier treffen sich Menschen. Hier wird noch erzählt, behauptet und gestritten. Der Fußball hat eine Tradition, er findet, wie die Kunst, auch immer nur gerade jetzt und nicht in der Zukunft statt.

Und ich komme zum Ende meiner Rede, und ich gestehe ein – was ich allerdings schon zu Beginn wußte –, ich habe das Thema verpaßt.

Ich habe von den Künsten gesprochen und nicht von Kultur. Nicht vom Gemüsemarkt auf dem Domplatz, nicht vom Martinszug, nicht von den etwas grobschlächtigen Feiern zur Erringung der Europameisterschaft, nicht von der Tradition der Weinhäuser in Mainz. Nicht von jenen Familien, wo noch gesprochen und erzählt wird, wo der Vater noch andere Interessen hat als seine Karriere. Ich habe nicht von Kultur gesprochen, sondern nur von einem kleinen Teilbereich – der Kunst.

Ich habe gesprochen von Ersatzkultur. Denn ich habe den Verdacht, daß die sogenannten Künste, die hohen und richtigen Künste, nichts anderes sind als ein Ersatz für verlorene Kultur. Wo in den Kneipen nicht mehr gesungen wird, braucht man eine Oper. Wo nicht mehr erzählt wird, braucht man professionelle Erzähler. Wo nicht mehr geschaut wird, braucht man bildende Künstler. Sie tun es stellvertretend für alle. So etwa, wie der Seiltänzer im Zirkus stellvertretend für mich übers Seil geht und mir das befreiende Gefühl vermittelt, daß wir Menschen übers Seil gehen können.

Kultur ist das Zusammenleben von Menschen. Ich fürchte mich sehr davor, daß das öffentliche Leben mehr und mehr privatisiert wird. In Amerika ist das längst geschehen, man lebt dort in der kleinen Partygesellschaft – die Ärzte unter sich, die Oberärzte unter sich und die Chirurgen unter sich, wöchentlich ein bis zwei Parties. Und dann diskutiert man nach den Aufständen der Schwarzen in Los Angeles, wie man die Schwarzen integrieren könne. Integrieren in was, wenn doch das ganz öffentliche Leben privatisiert ist? Man kann doch nicht aus allen Schwarzen Oberärzte machen, damit sie Einlaß finden in die Partygesellschaft der Oberärzte. Kultur wäre auch öffentliches Zusammenleben, die Privatparty ist kein Ersatz.

Und jetzt komme ich zum Schluß. In einer Sache habe ich Sie sicher enttäuscht. Das Problem würde ja heißen: Was geschieht mit der Kultur unter den heutigen Finanzverhältnissen? Ich weiß es nicht. Wir müssen entscheiden, wieviel sie uns wert ist.

In aller Welt wird um Sparmodelle gerungen. Sparmodelle heißen nichts anderes als: Wieviel Freiheit (Liberté), Gleichheit (Egalité) und Brüderlich- und Schwesterlichkeit (Fraternité) können wir uns noch leisten.

Republik war in ihren Ursprüngen anders gemeint. Nicht »Wieviel Menschlichkeit können wir uns leisten«, sondern »Wie ermöglichen wir sie«. Wenn unser Denken bei Sparmodellen stehenbleibt, dann ist das ein Eingeständnis, daß die Republik gescheitert ist. Was soll gerettet werden? Und für was? Und für wen?

Und noch einmal der Satz, diesmal unkommentiert: Unsere Neigung zu Kultur hat wohl auch damit zu tun, daß uns die Zivilisation immer wieder mißlingt.

Oder, wie es Max Frisch formulierte: »Ein Volk, das Symphonien hat, hat noch lange nicht Kultur.«

Drei Randständige erklären
Candid die Demokratie

Schon nach dem Erdbeben in Lissabon, als er unter den Trümmern und im Blut der Toten lag, war Candid nicht mehr davon zu überzeugen, daß diese Welt eine gerechte sei, denn gerade die Erdbeben, Flugzeugabstürze und Autounfälle gaben den Menschen das Recht, die Welt immer wieder erzittern zu lassen. Was sollten sie denn anderes nachahmen als die Natur, und Candid erinnerte sich an die kleine Reisegesellschaft, die damals in Lissabon, als er sich einübte in die Katastrophen der Welt, am Rande des Erdbebens stand, unbeteiligt, neutral, aber durchaus betroffen, wie sie sagten.

»Wie kommt es«, fragte Candid, der blutüberströmt auf sie zugekrochen war, »daß ihr zwar betroffen seid, aber dabei keinen Schaden nehmt?«

Der Älteste der dreien, der seinen Degen nicht umgeschnallt hatte, sondern ihn zusammen mit seinem Regenschirm in der Linken hielt, sagte: »Mein Name ist Raymond Broger, wir sind die Beobachterdelegation aus Andorra. Wir gehören nicht dazu, wir haben mit diesem Erdbeben nichts zu tun, wir beobachten es nur.«

»Habt ihr denn«, fragte Candid, »keine eigenen Erdbeben zu Hause?«

»Die Erdbeben«, erklärte nun der Jüngste, Niklaus

Meienberg, »entstehen dadurch, daß sich die kontinentalen Platten verschieben.«

»Und genau das«, sagte Broger, »schützt uns, weil Andorra nicht zu Europa gehört, und wir haben eine Armee.«

»So ein Quatsch«, sagte der dritte, Otto F. Walter, ein ehemaliger Infanterieleutnant, der die Sache längst durchschaut hatte, »für nichts ist sie, diese Armee!«

»Und«, sagte Broger, »hatten wir je ein Erdbeben?«

Candid war froh, endlich den Rand des Erdbebens erreicht zu haben, und bat darum, sich neben die drei stellen zu dürfen, untertänigst, geschlagen und geschunden. Otto F. Walter wollte ihm schon die Hand reichen, Meienberg schickte sich an, ihn zu umarmen, aber Broger griff ein und postulierte: »Estens ist der Rand zu klein, und zweitens ist es unser Rand.«

»So nicht«, schrien nun Meienberg und Walter im Chor, »so nicht, wir sind eine demokratische Beobachterdelegation, das Stimmenverhältnis ist zwei zu eins, der gute Candid hat ein Recht darauf.«

Da lächelte Broger sanft und zufrieden und drohte erstens mit einem Referendum und zweitens mit dem Volk.

»Was für ein Volk?« fragte Candid, und der Historiker Meienberg erklärte: »Napoleon hat uns die Demokratie geschenkt und der Wiener Kongreß die Neutralität – Pictet de Rochemont ...«

»Andorra«, fiel ihm Broger ins Wort, »ist die älteste Demokratie der Welt, 1291 auf dem Rütli standen drei tapfere Mannen zusammen ...«

»Drei Großgrundbesitzer«, warf Walter ein, »also

1848«, fuhr Meienberg fort in gepflegtem Französisch, was Candid anheimelte. »1291«, rief Broger. »1848«, schrie Meienberg.

»Sind Sie sicher«, fragte Candid die drei Randständigen, »daß der Rand, aus dem Sie kommen, derselbe Rand ist? Sind Sie sicher, daß Andorra für alle dasselbe Andorra ist? Warum, zum Beispiel, hat einer von euch gleich beides, den Degen und den Schirm, und warum stehen die anderen beiden immer wieder im Regen?«

»Jeder hat das Recht, ein Reicher zu werden, das ist Demokratie«, erklärte Broger. »Ja, eben«, sagten die beiden anderen im Chor. »Privatinitiative, Fleiß, Qualität und soziale Marktwirtschaft«, fuhr Broger fort. (Der Candid ist eine sehr alte Geschichte, Marktwirtschaft wurde damals noch mit dem Beiwort ›sozial‹ geschmückt.)

»Und wirklich keine Erdbeben?« fragte Candid.

»Lawinen schon«, sagte Broger, »die donnern zu Tale, und die Retter sind freiwillige Retter, und die Skifahrer sind freiwillige Skifahrer, die Rettungsflugwacht ist eine Privatinitiative, und über den Einsatz von Schneekanonen wird demokratisch abgestimmt, jeder und inzwischen sogar jede eine Stimme. Die Skifahrer und die Nichtskifahrer und sogar die Nichtskifahrerinnen.«

»Schneekanonen, das ist ein eigenartiges Wort«, rief Candid aus, »aber, daß das geprügelte Volk über Kanonen abstimmen kann, das ist schon schön, denn wenn das Volk abstimmen könnte, über Erdbeben zum Beispiel, da würde es doch keine mehr geben. Wenn das Volk abstimmen könnte über die Armee der

Bulgaren, dann gäbe es doch keine bulgarische Armee mehr.«

»Aber man erklärt es eben dem Volk vorher«, sagte Walter, »in den Diktaturen haben die Mächtigen die Macht. In der Demokratie erklären es die Mächtigen den Ohnmächtigen.«

»Wunderbar«, rief Candid aus, »wer denn kann besser erklären als die Gescheiten, die Philosophen, die Gelehrten und die Sanftmütigen!«

»Richtig«, flüsterte Meienberg, »aber die Philosophen sind arm, und zum Erklären braucht man Geld.«

»Mich scheißt das an«, sagte Walter, »ich ertappe mich immer wieder dabei, daß ich dann doch allen wieder diese Schweiz erklären will.«

»Was uns verbindet, das ist, daß wir Patrioten sind. Haben Sie das wunderschöne Porträt von Meienberg über mich gelesen?« sagte der durchaus gebildete Broger.

Candid hatte sich hingesetzt, dann hingelegt, dann schlief er ein und träumte, er sei in Andorra.

»Die kommen einfach, legen sich hin und schlafen. Das geht doch nicht, daß nun ganz Lissabon herkommt, sich auf unseren Rand legt und auf unsere Kosten schläft«, und die drei gerieten sich in die Haare. Als Candid erwachte aus seinem Traum, schickte man ihn zurück in die Erdbeben, und Candids Traum von der Demokratie war aus.

»Wir haben ein Abkommen mit Lissabon«, sagten die Andorraner, »das garantiert, daß die rückkehrenden Erdbebenopfer erdbebenfrei leben können. Wir konnten uns vor Ort davon überzeugen, daß Lissabon

erdbebenfrei ist. Ein Abkommen, das auf Gegenseitig-
keit beruht: Lissabon nimmt die Opfer in die Erdbe-
benfreiheit zurück, und wir liefern die Schneekanonen.«

Candid verspürte im Grunde seines Herzens nicht
die geringste Lust, Kunigunde zu heiraten, aber nach
all den Mühen und Plagen entschied er sich dann doch,
seine Hochzeitsreise nach Andorra zu machen. Als er
dort ankam – im 21. Jahrhundert –, gab es kein Andorra
mehr. »Dann ist also auch die Demokratie eine Katastrophe?« fragte Candid.

»Nein«, sagte man ihm, »im Gegenteil. Wir haben
immer nur von den Katastrophen der anderen gelebt.
Da haben sich die anderen gegen die Katastrophen or-
ganisiert und den Rand Andorra an den äußersten
Rand gedrängt. Da brach der Rand ab, das war alles.
Wissen Sie, wir glaubten, wir seien selbst ein Konti-
nent, wir sahen nur den Rand des Randes und hielten
ihn für die Welt.«

Deutschsprachige Literatur
in der edition suhrkamp:
Prosa

300/1/12.96

Deutschsprachige Literatur
in der edition suhrkamp:
Prosa

Deutschsprachige Literatur
in der edition suhrkamp:
Prosa

Deutschsprachige Literatur
in der edition suhrkamp:
Prosa

300/4/12.96